W9-DEU-596

NOTA DEL EDITOR

Este es el duodécimo volumen del increíble diario del pequeño Charlie Small. Lo encontró un viejo hombre de negocios en el estante del equipaje de un tren. El cuaderno se veía muy manoseado y sucio, pero contaba fantásticas proezas. El hombre reconoció la letra de Charlie y, en cuanto llegó a la estación, nos lo trajo. ¡En este diario se encuentra la fascinante conclusión de las extraordinarias aventuras de Charlie Small!

¿Conseguirá Charlie regresar a su casa? ¿Habrá otros diarios perdidos? El tiempo lo dirá. Así que si halláis un diario curioso, o si veis a un niño de ocho años con un equipo de explorador, contactad con nosotros a través de la siguiente dirección:

www.piruetaeditorial.com

¡Craik!

LAS INCREÍBLES AVENTURAS DE CHARLIE SMALL (400 AÑOS)

Libreta 12

EL DESAFÍO FINAL

¡Vigila, hijo!

Cuidado con los yetis

Título original: *The Charlie Small Journals. The Final Showdown*

© 2011 Charlie Small

Primera publicación por David Fickling Books, un sello de Random
House Children's Books

Primera edición: octubre 2014

© de la traducción: Carol Isern

© de esta edición: Roca Editorial de Libros, S.L.

Marquès de l'Argentera, 17. Pral.

08003 Barcelona www.piruetaeditorial.com

Impreso por Egedsa.

Roís de Corella, 12-16 nave 1

08250 Sabadell (Barcelona)

ISBN: 978-84-15235-78-1

Depósito legal: B. 16.063-2014

Código IBIC: YFC

Todos los derechos reservados. Esta publicación no puede ser reproducida,
ni en todo ni en parte, ni registrada en o transmitida por, un sistema de
recuperación de información, en ninguna forma ni por ningún medio,
sea mecánico, fotoquímico, electrónico, magnético, electroóptico, por
fotocopia, o cualquier otro, sin permiso previo por escrito de la editorial.

RP35781

NOMBRE: Charlie Small

DIRECCIÓN: Ciudad de la Fortuna

EDAD: ¡Soy un niño de ocho años
que ha vivido cuatrocientos!

TELÉFONO MÓVIL: 07713123

ESCUELA: St. Beckham

COSAS QUE ME GUSTAN: El Jinete del Aire,
Snipe y los marginados, mamá
y papá, Jumbo

COSAS QUE ODIO: a Joseph Craik
(mi archienemigo), las arañas
arbusto, el solitario yeti

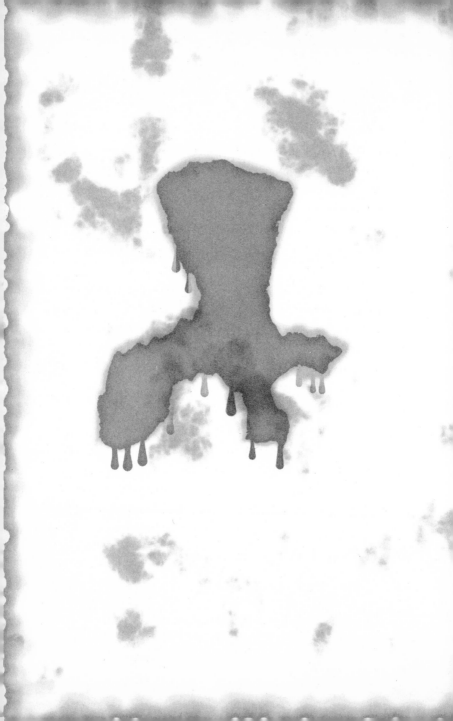

Si encontráis este cuaderno, POR FAVOR, cuidadlo bien. En él se encuentra la única narración verdadera de mis impresionantes aventuras

Me llamo Charlie Small y tengo cuatrocientos años, quizá más. Pero en todos estos largos años no he crecido. Cuando tenía ocho años sucedió una cosa, una cosa que todavía no comprendo. Me fui de viaje... y todavía estoy buscando el camino de vuelta a casa. Ahora, a pesar de que me he encontrado cara a cara con un yeti enorme y peludo y de que he sido atacado por una raza de hombres que parecen ratas, sigo pareciendo un niño de ocho años normal y corriente con el que os podríais encontrar por la calle.

He escalado montañas, he cruzado un vasto y fangoso desierto y he sufrido la persecución de un peligroso malhechor por los vagones de un tren de alta velocidad. Quizá creáis que todo esto no es más que una fantasía; podríais pensar que todo es mentira. Pero os equivocaríais, porque TODO LO QUE SE CUENTA EN ESTE LIBRO ES VERDAD. Creedlo y haréis el viaje más increíble que nunca hayáis imaginado.

Charlie Small

Las Montañas Recortadas

En las Montañas Recortadas

Me escondí detrás de una enorme roca y contuve la respiración mientras escuchaba atentamente. Estaba claro que oía algo: un sonido de alguien que arañaba y pisaba el suelo. Pero ese sonido casi se perdía en el ruido que hacía el viento en lo alto de la montaña. ¿De qué se trataba?

Desde que me puse en camino supe que me seguían. De vez en cuando me detenía y miraba hacia atrás, observaba el paisaje con mi telescopio. No veía más que sombras, pero estaba seguro de que había alguien ahí, observando todos mis movimientos.

Viajé con el Jinete del Aire, un increíble patinete volador inventado por mi amigo Jakeman, pero al llegar a las Montañas Recortadas tuve que detenerme. La pared de las montañas era

El increíble Jinete del Aire: ¡iva a la velocidad de un cohete!

demasiado empinada para subirla en el patinete, así que lo llevé colgando de la espalda con una cuerda. Finalmente, después de horas de escalar, llegué, exhausto, a una cima barrida por el viento. Observé ese solitario paraje. Me pareció desierto, pero entonces oí ese ruido como de arañazos, de pisadas…

El ruido del viento me impedía saber de dónde procedía ese sonido, pero parecía que estaba cerca. No quise permanecer más tiempo al descubierto, así que corrí hasta una de las enormes rocas que se elevaban en esa cima. Me escondí tras ella con la esperanza de que ese sonido no fuera más que una mala pasada de mi imaginación.

Pero ¡no lo era! Ahora oigo claramente el sonido de pisadas y también de una pesada respiración. Mi perseguidor está llegando a la cima de la montaña y olisquea en el aire como un inmenso sabueso. *¡Socorro!*

¡Era un yeti!

¡El yeti! ෮෮

¡Oh, genial! Nunca adivinaríais dónde estoy ahora: he sido capturado, y languidezco en una sucia guarida. No tengo ni idea de si podré escapar algún día.

Sucedió lo siguiente:

Me puse en pie y eché a correr buscando con desesperación una vía de escape, pero ese monstruo de enormes pies me perseguía. Me di la vuelta para enfrentarme a él, pero en cuanto lo vi se me heló la sangre en las venas. ¡Era un yeti: un abominable y peludo yeti!

Ese ser era inmensamente alto. Medía tres metros y estaba cubierto por un desgreñado pelaje blanco. Dos brillantes ojos verdes destacaban en ese rostro de piel oscura y azulada, y tenía dos enormes cuernos curvados en la frente que le daban una apariencia amenazadora e inquietante.

—¡Gruaaa! —hizo el yeti, descubriendo unos dientes terribles mientras avanzaba hacia mí.

Di un paso hacia atrás.

—¡Gruaaa! —repitió, levantando una mano para señalar el otro extremo de la cima.

Sus brazos eran más largos y gruesos que los de Porrazo, el viejo gorila de espalda plateada que me raptó al principio de mis aventuras.

El yeti dio otro paso hacia mí, y yo volví

a retroceder, pero una enorme roca me impidió
seguir alejándome. El yeti soltó un gruñido
y levantó una enorme mano hacia mí. Era tan
grande que hubiera podido aplastarme el cráneo
como si no fuera más que una mandarina,
y las rodillas empezaron a temblarme.

—¡Gruaaa! —volvió a rugir la bestia.

El terror me paralizaba, y las piernas me
fallaron. Al desmayarme, sentí que algo
me elevaba en el aire. Y entonces perdí el
conocimiento por completo.

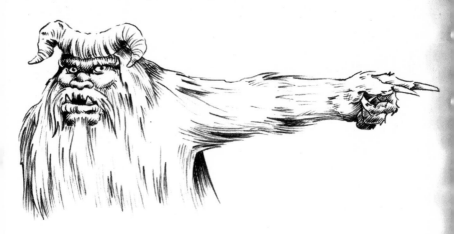

La espantosa guarida

Cuando me desperté, me sorprendió darme
cuenta de que todavía conservaba la cabeza en
su sitio: ¡había creído que ese monstruo peludo
me la iba a arrancar! Todo estaba oscuro y pensé

que quizá era de noche, pero al incorporarme y mirar a mi alrededor me di cuenta de que me encontraba tumbado sobre un grueso lecho de musgo, en el interior de una caverna grande y oscura.

En el suelo, en el centro de la caverna, brillaban unas ascuas, y un humo maloliente se elevaba hasta el techo cubriéndolo por entero. Delante del fuego vi al yeti sentado, mirándome fijamente con sus brillantes ojos verdes.

—¡Gruaaa! —gruñó al ver que me movía. Se dio una palmada en la barriga y se relamió los labios.

«¡Oh, diablos! —pensé—. ¡Ahora se me quiere comer!»

—¡Gruaaa, gruaaa! —repitió el yeti, señalando primero hacia mí y luego hacia la columna de humo.

Levanté la vista y solté un suspiro de alivio. ¡Esa criatura peluda no tenía intención de comerme, sino que me estaba ofreciendo comida! Allí, colgada del techo y en medio del humo, había una enorme pieza de carne. Era grande como un búfalo, con unas costillas descomunales y unos enormes huesos que se distinguían bajo la oscura carne asada. ¡Era increíble!

—Esto… sí, gracias —dije, relamiéndome los labios mientas asentía con la cabeza.

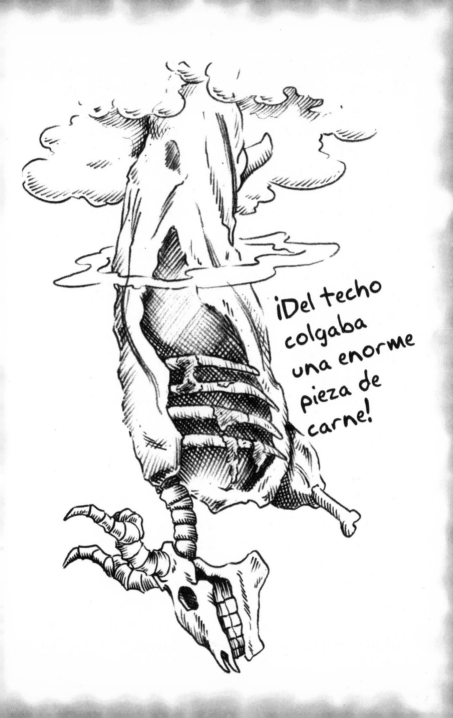

¡Del techo colgaba una enorme pieza de carne!

No me gustaba el tono gris que tenía esa carne, pero de repente sentía un hambre voraz. Ya hacía tiempo que había gastado todas mis barritas energéticas, y durante el último día y medio había sobrevivido solamente a base de pequeños sorbos de agua. El yeti se puso en pie, cogió una rama con forma de V que estaba apoyada en la pared y descolgó la carne con ella. Luego, empleando una de sus largas y afiladas uñas, cortó un trozo y me lo ofreció. Lo cogí, con cierta desconfianza, pues todavía no sabía si podía confiar en esa bestia salvaje y extraña, y volví a sentarme en mi lecho de musgo.

Di un mordisco creyendo que la carne sería correosa como el cuero, pero ¡era jugosa y tierna, y estaba deliciosa! Había sido ahumada en el techo de la caverna y tenía el mismo sabor especiado y ahumado de mi pizza favorita. No tenía ni idea de qué clase de carne era (quizá de un trol de la montaña) pero comí hasta que me sentí lleno.

—Gracias, Yeti —dije—. Ahora me siento mucho mejor. Y siento haber pensado que ibas a aplastarme como a una naranja. ¡Ya sé que no es bueno juzgar por las apariencias!

—¡Gruaaa! —contestó el yeti, y me miró atentamente mientras yo daba unas vueltas por la caverna.

No había gran cosa. Era evidente que los

yetis llevan una vida muy espartana. Aparte de dos montones de paja y de musgo, en esa cueva no había ninguna comodidad. El fuego calentaba solamente la zona más cercana a él, el aire lleno de humo hacía difícil respirar y la cueva olía a pelaje húmedo. ¡Necesitaba un poco de aire fresco!

¡Vaya peste!

¡Camino cerrado!

Miré a mi alrededor buscando una salida, y vi que un túnel salía de la caverna. Mientras me dirigía hacia él, tosiendo y escupiendo a causa del aceitoso humo que había en el aire, el yeti se puso en pie y me siguió.

Al final del túnel vi la brillante luz del exterior y me di

cuenta de que todavía era de día, así que no debía de haber estado inconsciente mucho tiempo. ¡Bien! Quería dejar atrás la montaña antes de la noche.

—¡Gruaaa-gruaaa-gruaaa! —gruñó el yeti, con un gesto de urgencia.

—¿Qué sucede? —pregunté—. Solo quiero tomar un poco el aire. Aquí el ambiente es… bueno, denso.

Ya había llegado a la entrada de la cueva y vi que delante de mí un camino conducía hacia la cima de la montaña y otro, hacia abajo.

«¡Qué bien! —pensé—. ¡Este camino es ancho, y podré recorrerlo con mi patinete!» Pero cuando di un paso con intención de coger el camino de arriba, el yeti me cerró el paso alargando el brazo.

—¡Gruaaa! —bramó—. Gruaaa, gru-gruaaa.

—Eh, un momento, patán peludo —grité, empezando a sentir pánico otra vez al ver que el yeti me ponía las manos encima de los hombros y me empujaba hacia el interior de la cueva—. ¿Qué haces?

¿Habría cambiado de opinión? ¿Iba a colgarme del techo para ahumarme, como si yo no fuera más que un rosado y tierno jamón?

—¡Gruaaa! —ordenó el yeti, señalando el lecho de musgo—. ¡Gruaaa!

Fui hasta el lecho de musgo con las piernas

temblorosas y me dejé caer sobre él. En cuanto lo hice, el yeti soltó un suspiro de satisfacción y volvió a sentarse delante del fuego. ¡Entonces lo entendí! El yeti se sentía solo y no quería que me marchara o, mejor dicho, no permitía que me marchara. Oh, vaya. ¡Ahora sí que me había metido en un lío!

—Mira, me gustaría mucho quedarme —le expliqué en el tono de voz más tranquilo que pude—. Pero debo llegar a casa a tiempo de merendar.

—Gruaaa —respondió el yeti.

No tenía mucho vocabulario. Me puse en pie lentamente, pero el yeti empezó a gruñir en tono amenazador.

—Eh, necesito ir al lavabo —dije, con la esperanza de que me perdiera de vista un momento y tuviera oportunidad de huir.

—¿Gruaaa? —preguntó el yeti.

—El lavabo. Ya sabes, tengo pis —dije, y empecé a dar pequeños saltitos, como si estuviera desesperado.

Pero el yeti creyó que se trataba de un juego y soltó un bramido de risa.

¡Di unos saltitos, como si tuviera pis!

No sirvió de nada, así que volví a sentarme.
Pero entonces me di cuenta de que había
cometido un gran error.

—¡Pissss! —hizo el yeti, encantado con la
nueva palabra.

Me miró con el ceño fruncido y dio un golpe
en el suelo con los puños que hizo temblar toda
la caverna.

—¡Pissss! —bramó, y me di cuenta de que ese
enorme patán me ordenaba que volviera a dar
saltitos.

Me puse en pie y empecé a dar saltos, y el yeti
se puso a reír hasta que las lágrimas empezaron
a caerle por el rostro y hasta el pelaje blanco.
Y cada vez que me detenía, el yeti gritaba con
todas sus fuerzas:

—¡Pissss!

Y yo volvía a saltar otra vez.

Intenté acercarme al túnel dando saltos para
salir corriendo en cuanto tuviera oportunidad,
pero en cuanto vio lo que intentaba hacer, se
puso en pie y me amenazó con un gruñido. ¡Oh,
diablos! ¿Qué podía hacer?

Por los pelos

El yeti me obligó a dar saltos durante horas.
Cada vez que paraba, él gritaba, y si yo me

negaba, empezaba a patear el suelo como un bebé de diez toneladas terriblemente malhumorado. Era terrorífico, y después de horas de dar saltitos, ya no podía más. ¡Además, me estaba haciendo pis de verdad!

A última hora de la tarde, el yeti soltó un fuerte gruñido y levantó una mano para indicarme que dejara de dar saltos. Ladeó la cabeza un momento, como si estuviera escuchando algo, y olisqueó el aire con su nariz chata y azulada. Yo también escuché, pero no oí nada aparte de la sonora respiración del yeti.

El monstruo soltó un gruñido de satisfacción, se puso en pie y se dirigió hacia la entrada de la caverna. Pero antes de desaparecer por el túnel, se dio la vuelta, me señaló y lanzó otro:

—¡Gruaaa!

Y, adelantando la cabeza hacia mí, soltó el rugido más terrorífico y atronador que he oído en mi vida.

—¡Gruaaa!

Fue como si un viento rancio me

azotara la cara y me hiciera volar los cabellos hacia atrás.

—VALE, VALE, no pierdas los estribos —dije—. Entiendo. Debo quedarme aquí. No te preocupes, no iré a ninguna parte.

—¡Gruaaa! —hizo el yeti, aparentemente satisfecho.

Me dio unas palmadas en la cabeza con su enorme mano e intentó estirar la fea boca para esbozar una sonrisa. Me dijo adiós con la mano y desapareció por el túnel. ¡Vaya un chalado!

En cuanto se hubo marchado, me tumbé en el lecho de musgo. Estaba exhausto después de tanto saltar, y todavía temblaba a causa del rugido del yeti. Esperé un instante para recuperar el aliento y luego otro instante más para recuperar el coraje. Cuando las piernas dejaron de temblarme y me sentí capaz de ponerme en pie, cogí la mochila y salí corriendo hacia el túnel. No tendría otra oportunidad de escapar.

Pero todavía me encontraba a la mitad del túnel cuando oí que el monstruo regresaba. ¡Oh, maldición! Había esperado demasiado. Volví a la caverna a toda velocidad y me tumbé en mi cama de musgo justo en el momento en que ese engendro peludo entraba. Llevaba una cabra colgada del hombro.

—¡Gruaaa! —gruñó, señalando al pobre animal y lamiéndose los labios.

—Muy rápido —comenté, mientras el yeti ataba a la cabra con una cuerda y la colgaba en medio de la humareda—. Demasiado rápido, si quieres saber mi opinión —añadí, en voz baja.

Entonces, mi nuevo amigo volvió a sentarse delante del fuego, dio una palmada con las manos y dijo:

—¡Gruaaa! —Y a continuación ordenó—: ¡Pissss!

¡Oh, diablos, otra vez!

¡Libre!

El yeti no era una lumbrera, y se divertía fácilmente. Bailé y salté y salté y bailé, y al fin se tranquilizó y se quedó pacíficamente dormido.

Esperé a que esa bestia peluda empezara a roncar y entonces, con muchísimo cuidado, me dirigí a cuatro patas y muy despacio hacia la salida. En una ocasión me quedé inmóvil, conteniendo la respiración, pues el yeti dejó de roncar y emitió una serie de gruñidos entrecortados. Temí haberlo despertado y que me descubriera mientras escapaba, pero al cabo de un torturante minuto el yeti volvió a roncar y yo continué avanzando hacia la salida.

Cuando por fin llegué a la entrada de la caverna ya casi era de noche. Solté un suspiro de alivio, me puse en pie y empecé a correr camino arriba hacia la cima de la montaña, donde había dejado mi valioso Jinete del Aire. Monté en el patinete, encendí el faro y puse en marcha los ventiladores. El patinete se elevó del suelo y lo conduje despacio por la rocosa cumbre hasta la parte alta del camino. Allí aceleré y salí disparado, levantando una nube de polvo a mi paso, camino abajo. ¡Iba a conseguirlo!

¿O no? Al girar una curva, me llevé el mayor susto de mi vida. El yeti me esperaba fuera de la caverna. Estaba completamente despierto y muy, *muy*, enojado.

—¡GRUAAAAAAA! —bramó mientras levantaba una enorme roca que había en un lateral del camino.

Desaceleré un momento mientras intentaba pensar qué hacer. El yeti lanzó la roca hacia mí y yo la esquivé con una rápida maniobra lateral. La roca se rompió al chocar contra el suelo, a mi lado. Entonces, mientras el yeti se agachaba para coger otra roca, vi que dejaba el camino parcialmente libre y me lancé hacia delante a todo gas.

—¡GRUAAA! —bramaba el monstruo.

Al pasar por su lado, el áspero pelaje de una de sus piernas me rozó la cara. Pasé a pocos

centímetros del borde del camino haciendo que
un montón de piedrecitas se despeñaran
montaña abajo.

—¡Yuuppii! —grité, con las venas llenas de
adrenalina.

Otra roca se estrelló en el suelo, ante mí,
y volví a esquivarla.

—¡Gruaaa! ¡Gruaaa!

De repente, el bramido del yeti sonaba triste y solitario, como la sirena de un barco perdido en alta mar. ¡Me sentí un poco mezquino, pero no tenía intención de regresar! Me agaché un poco para ofrecer una menor resistencia al viento y bajé a toda velocidad girando a un lado y a otro, siguiendo las sinuosas curvas del camino.

Un sueño inquieto zzzzz

El día ha amanecido gris y frío. Esta noche casi no he pegado ojo, así que estoy cansado y me duele todo el cuerpo. Tengo los dedos tan tiesos que me cuesta sujetar el lápiz.

He pasado la noche al pie de las colinas de las Montañas Recortadas. Cuando llegué al pie de la montaña del yeti, continué viajando a toda velocidad por si él me seguía.

Al anochecer, conduje el patinete por un ancho y sinuoso paso que recorría la cordillera. Las siluetas de los altos picos me rodeaban por ambos lados, y el faro del Jinete del Aire proyectaba sombras de rocas retorcidas que parecían espeluznantes fantasmas convertidos en piedra.

A medida que el paso se estrechaba, la noche

parecía cerrarse más. Cada vez era más difícil ver hacia dónde iba, así que decidí parar a pasar la noche. Encontré un profundo hueco en la pared de una de las crestas y allí me tumbé en el suelo y utilicé mi gastado abrigo a modo de sábana.

Tuve un sueño inquieto: me despertaba con cada sonido de los animales nocturnos que se movían en la oscuridad. ¡Caramba, era como intentar dormir en medio de un zoo!

La noche se me ha hecho eterna pero, por fin, el cielo ha empezado a aclararse con la primera luz del alba y me he levantado, dando patadas en el suelo para que los pies entraran en calor. He doblado el abrigo, pero antes de guardarlo en mi mochila he hecho un repaso a mi equipo de explorador. Lo he vaciado en el suelo y esto es lo que ahora hay en él:

1) Mi navaja multiusos
2) Un rollo nuevo de cordel (superfuerte)
3) Una botella de agua
4) Un telescopio
5) Una bufanda (¡llena de agujeros de bala!)
6) Un raro billete de tren (ha estado en mi mochila desde el principio: ¿de dónde ha salido?)
7) Mi diario
8) Un paquete de cromos de animales salvajes (lleno de información sobre animales)
9) Un tubo de pegamento nuevo para pegar cosas en mi cuaderno
10) Un ojo de cristal de mi valiente amigo el rinoceronte de vapor
11) La brújula y la linterna que encontré en el esqueleto descolorido por el sol de un explorador perdido
12) El diente de sierra de un monstruoso megatiburón (me sirve de serrucho)
13) Una lupa (para prender fuego, etc.)

14) Una radio
15) Mi teléfono móvil y el cargador de cuerda (para hablar con mamá)
16) El cráneo (roto) de un murciélago bárbaro
17) Un fajo de mapas y esquemas que he ido encontrando durante mis aventuras
18) Una bolsa de canicas
19) Una bomba de humo que tiene la forma de una bola de metal
20) El dedo de hueso de un esqueleto viviente (útil para abrir cerraduras)

La brillante
bomba de humo

21) Un trozo de cuerda que utilizo como lazo
22) La pulsera de hilo de araña que Jakeman me dio. Todavía la llevo, pero el mecanismo se ha roto y ya no puedo disparar la pequeña ancla metálica. ¡Es una pena, porque era genial para escalar y colgarse de cualquier sitio como Spiderman!

He intentado llamar a mamá para decirle que estoy de camino a casa. He cargado el móvil con el pequeño cargador de cuerda, pero en estas montañas no hay cobertura.

He puesto al día el diario, así que estoy listo para ponerme en marcha. He encendido el GPS del patinete y he intentado localizar mi posición en el mapa que me dio Philly. Es el documento más valioso que he tenido en mi vida, porque me muestra por dónde puedo pasar a mi mundo. Aquí está, para que veáis hasta dónde he llegado (¡me encuentro en algún lugar entre las colinas de las Montañas Recortadas!).

Continuaré escribiendo luego.

El Gran Yermo

A media mañana ya había dejado las Montañas Recortadas muy atrás y viajaba a toda velocidad por el enorme paisaje vacío y llano del Gran Yermo. Hacía un calor abrasador y el suelo estaba seco y cuarteado. Por todas partes se veían los esqueletos secos de los desgraciados animales que no habían conseguido cruzar ese desierto.

Un buitre de aspecto horripilante empezó a dar vueltas en el cielo sobrevolándome y fue a posarse a las ramas de un árbol muerto para observarme con expresión hambrienta. Me estremecí al verlo y recé para no acabar siendo su cena mientras me impulsaba hacia delante con el cuerpo en un intento por acelerar todavía más la velocidad del Jinete del Aire. Conduje horas y horas y, al

¡Un buitre repugnante!

final de la tarde, estaba sediento, muy hambriento y completamente quemado por el sol.

Me detuve, saqué la botella de agua de la mochila y di un trago. ¡Maldición! Se me cayó y las últimas gotas de agua penetraron en el suelo reseco. Las cosas se estaban poniendo feas. Me encontraba solo en medio de la nada sin agua ni comida.

De repente empezó a soplar un fuerte viento. Venía del norte y levantaba grandes remolinos de arena que se enroscaban en mis tobillos. A lo lejos vi cinco bolas oscuras que rodaban por el suelo hacia mí. Parecían unas enormes plantas rodadoras: las había visto rodar por el Salvaje Oeste. «Quizá estos arbustos tengan las hojas comestibles —pensé—. Vale la pena echar un vistazo.»

Un viento desafortunado

Esas plantas rodadoras venían hacia mí con gran rapidez, pero en cuanto se acercaron aminoraron la velocidad, a pesar de que el viento continuaba soplando con fuerza.

«Qué raro», pensé. Entonces, los arbustos se detuvieron y me quedé horrorizado: eran de medio metro de diámetro, de un color caqui, ¡y tenían una hilera de cuatro ojos, oscuros y brillantes como grosellas negras! ¡Esos ojos me miraban desde detrás de unas ramas que se retorcían! Pero claro, no eran ramas, y no había ninguna hoja comestible. Eran patas y estaban cubiertas de un grasiento pelo verde. ¡Me encontraba ante una espantosa especie de arañas que tenían cien patas peludas! ¡Puaj! ¡Detesto las arañas!

Las arañas habían aprovechado el viento para desplazarse, pero ahora caminaban con ese sinfín de patas. También tenían dos largos colmillos, y una boca asquerosa de color carmesí que se cerraba de lado, como si fueran las puertas de un armario. Se me revolvía el estómago de verlas.

Una araña
arbusto

¡Atado!

El viento cesó tan repentinamente como había comenzado, y todo a mi alrededor quedó en silencio, un silencio inquietante. Y, sin que me diera cuenta, las arañas me habían rodeado y se acercaban lentamente, siseando como serpientes furibundas. Todavía llevaba conmigo el sable que encontré en el esqueleto de Sue *la Sable*, la sangrienta pirata, y lo desenfundé.

—¡Atrás! —grité, bajando del Jinete del Aire y blandiendo el sable de un lado a otro—. ¡Atrás, u os haré pedazos, viles bichos rastreros!

Giré sobre mí mismo dibujando un círculo en el aire con la espada a pocos centímetros del suelo, y las arañas saltaron hacia atrás para esquivar la afilada hoja… pero una de ellas me atacó por la espalda.

Me clavó los colmillos en la pernera del pantalón tejano y tiró de mí con tanta fuerza que caí al suelo. El golpe fue tan fuerte que me quedé sin aire. La araña me arrancó el sable de la mano y lo partió con la boca, como si no fuera más que una ramita. Luego escupió saliva sobre la hoja y el sable empezó a derretirse. ¡Oh, socorro! ¡Esos bichos eran más peligrosos, incluso, de lo que parecían!

Intenté ponerme en pie, pero otra araña saltó sobre mi espalda y me sujetó contra el suelo.

Y entonces todas las arañas me atacaron. ¡Chas, chas! Me atravesaban la camiseta con sus mandíbulas mientras me envolvían con un hilo que segregaban por la parte trasera del cuerpo. El hilo me inmovilizaba las piernas.

—¡Fuera, cretinas! —gritaba yo.

Luego, esas arañas babosas me arrancaron la mochila de la espalda y la tiraron. Todo lo que había dentro quedó desparramado por el suelo.

«Ya os tengo, demonios», me dije,

porque habían cometido un GRAN error. Alargué el brazo hasta la última de las bombas de humo que Jakeman me había dado y conseguí cogerla antes de que saliera rodando.

La lancé al suelo y la bomba se abrió. Una nube de humo llenó el aire y nos envolvió, ahogándonos.

Los ojos me picaban y me puse a toser, así

que me envolví la boca y la nariz con la
bufanda. Las arañas siseaban, angustiadas,
y daban vueltas en medio del humo intentando
salir de la nube, que cada vez se hacía mayor.

—¡Yii, yii, yii!

Emitían unos chillidos que parecían de
cerdito aterrorizado. Palpé el suelo a mi
alrededor buscando el diente de megatiburón.
Lo encontré y conseguí cortar el hilo que me
inmovilizaba las piernas. Era un hilo tan fuerte
que, al cortarlo, emitía unos fuertes chasquidos,
como si fuera cable de acero. Me puse en pie
rápidamente y metí todo lo que pude dentro
de la mochila otra vez. Salté al patinete,
encendí el motor y salí disparado, tumbando
a dos de las arañas a mi paso.

Mientras me alejaba a toda velocidad, volvió

a levantarse viento y la nube de humo se dispersó en el aire. Frené en seco, me di la vuelta y miré, dispuesto a salir pitando si veía que las arañas venían a por mí. Pero ya no estaban. ¡El desierto había quedado vacío! Lo único que quedaba de esos bichos rastreros eran cinco pequeños charcos de saliva en el suelo. ¡El humo debía de haberlos desintegrado!

Todavía asustado y tembloroso, giré el acelerador a tope y continué mi viaje. Pasé volando entre esqueletos y antiguos animales fosilizados.

Al cabo de un rato empecé a relajarme. A lo lejos vi un cactus grueso y solitario, así que aminoré la velocidad y me dirigí hacia él.

Me acerqué con desconfianza, no fuera que se tratara de otro tipo de insecto asqueroso. Pero al

¡Un espantoso pez fosilizado!

final, contento de que se tratara *únicamente* de un cactus, corté un trozo de la parte superior con mi diente de megatiburón. El cactus tenía una carne blanca y jugosa, y la mastiqué, disfrutando al notar el dulce sabor en la boca y en la garganta. ¡Estaba delicioso!

¡Un trozo del jugoso cactus!

Una llamada a casa

Se ha hecho de noche enseguida. El sol, que era una brillante esfera sobre el horizonte, se ha escondido tras él en un santiamén y el cielo se ve negro como el carbón. No hay ni una estrella en el cielo, y no hay ninguna luna que ilumine mi camino. Se ha hecho imposible saber hacia dónde voy, ni siquiera con la luz del faro de mi patinete, así que he decidido acampar.

Estoy sentado en el suelo, apoyado en la mochila, y escribo en el diario gracias al tenue y amarillo haz de luz de mi linterna. Sopla un viento helado, pero estoy bastante cómodo cobijado en mi abrigo, que he colgado de dos palos clavados en el suelo y que me protege del viento.

Acabo de llamar a casa.

—Charlie, ¿eres tú? ¿Va todo bien? —preguntó mamá al descolgar el teléfono.

—Bueno, aparte de que me ha capturado un

¡Todo estaba oscuro y daba miedo!

yeti solitario y de que unas arañas asquerosas y babosas me han atacado, todo va bien —respondí.

—Es fantástico, cariño —dijo mamá.

—Me encuentro en medio de un vasto desierto, sin comida ni agua —continué.

—Oh, genial —repuso en tono alegre—. Oh, espera un momento, Charlie. Tu padre acaba de entrar. Recuerda, no llegues tarde para la merienda y no te olvides de comprar una botella de leche de camino a casa.

—Vale, mamá. Hasta pronto —repuse, y colgué.

Mamá está atrapada en un bucle de tiempo, y ya estoy acostumbrado a que me diga lo mismo cada vez que llamo. ¡Pobre mamá, si supiera que unas arañas gigantes han atacado a su hijo, ¡se volvería loca!

Al pensar en las arañas, un escalofrío de asco me ha recorrido la espalda. Me pregunto si en mi colección de cromos habrá alguna información sobre ellas.

CLASIFICACIÓN

COMO DEPREDADOR

12

Las furiosas arañas arbusto

Estos asquerosos arácnidos tienen cien patas peludas. Viven en los desiertos y cruzan largas distancias aprovechando el impulso del viento que las empuja por las llanuras, así que… ¡cuidado! Las arañas arbusto son capaces de digerir casi cualquier cosa, ya que su saliva es un ácido muy potente. Inmovilizan a sus víctimas envolviéndolas con un fuerte hilo.

COLECCIÓN DE CROMOS DE ANIMALES SALVAJES

He sentido otro escalofrío, y he guardado los cromos. Había tenido mucha suerte de escapar: ¡si hubiera tardado unos segundos más me habría desintegrado en un charco de saliva, igual que mi sable pirata!

De repente, el sol ha empezado a salir. ¡Ya son las cinco de la mañana y he estado pensando y escribiendo toda la noche! Pero no estoy cansado, ¡solo muy hambriento! El aire es limpio, no hay nubes en el cielo ni en el horizonte; a lo lejos, se ven unos destellos. ¡Debe de ser la Ciudad de la Fortuna! Está indicada en mi mapa y se encuentra justo en la ruta de regreso a mi mundo. ¡Genial! Quizá allí encuentre algo para comer.

Ya continuaré escribiendo luego.

¡Un océano instantáneo!

Me dirigí a toda velocidad hacia aquello que brillaba en el horizonte, pero no parecía que me estuviera acercando. Y entonces, justo cuando empezaba a pensar que no era más que un espejismo, pareció que la ciudad se hacía cada vez más grande y vi rascacielos de todas las formas y tamaños. Se elevaban sobre un alto montículo de rocas, como una isla en medio del desierto.

—¡Yuupii!
Solo me faltan
unos
cuantos
kilómetros
—exclamé—.
¡Ciudad de la Fortuna,
allá voy!

Pero en
cuanto
hube dicho
eso, el suelo
empezó a
ondularse.
Un montón de agua emergía entre las grietas de
la tierra y el desierto empezó a llenarse como si
fuera una bañera gigante. Al cabo de un
momento, todo estaba cubierto por una brillante
capa de agua. Por suerte, mi patinete podía
flotar por encima del agua igual que por encima
de la tierra. Continué adelante. Los ventiladores
que lo impulsaban zumbaban como un secador
de pelo.

La capa de agua se hacía cada vez más
profunda mientras me dirigía hacia la ciudad,
que ya era una isla en medio de un vasto mar.
Solo me faltaban unos cientos de metros de
distancia, y vi que un muro alto y blanco
recorría la orilla de la isla.

Ciudad de la Fortuna

De repente, un potente chorro de agua salió por una de las grietas del fondo y una gran ola se elevó en la superficie. La ola venía en mi dirección e intenté salvarla como un surfista, pero la ola me arrancó el Jinete del Aire y la poderosa corriente me arrastró. Di vueltas y más vueltas dentro del agua intentando hacer pie en alguna parte, pero fue imposible porque era demasiado profunda para mí.

Cuando la ola pasó, me puse a nadar hacia la orilla. Nadaba con todas mis fuerzas, pero el peso de la mochila pronto me provocó mucho cansancio y al cabo de poco perdí la fuerza. Empecé a tragar mucha agua mientras intentaba mantenerme a flote y creí que no conseguiría llegar a tierra firme, así que decidí deshacerme de mi equipo de explorador.

Aunque tenía los brazos muy flojos, como trozos de cordel, conseguí quitarme la mochila de la espalda. Cuando ya estaba a punto de soltarla para que se hundiera hasta el fondo, una fuerte corriente me levantó y me impulsó hacia la isla.

tenía los brazos muy cansados ¡Los tenía flojos como un trozo de cordel!

La corriente me arrastró entre las rocas
de la isla como si no fuera más que un corcho.
Al fin conseguí agarrarme a una de ellas y salí
del agua.

Aunque me sentía apaleado y me dolía todo
el cuerpo, llené la cantimplora en un charco
de agua dulce. Luego me desplomé al suelo,
exhausto, y no fui capaz de moverme en mucho,
mucho rato.

Ciudad de la Fortuna

El sol era muy fuerte, así que la ropa se me
secó enseguida. Mientras recuperaba el aliento,
oí unos ruidos amortiguados que procedían
del otro lado del alto muro de la ciudad.
Se distinguían voces, pasos y un estruendo
lejano de máquinas.

Me puse en pie, todavía un poco inseguro,
y subí por las rocas hasta que llegué al pie del
muro. Era demasiado alto para trepar por él, así
que empecé a caminar siguiendo su recorrido
alrededor de la isla. No era fácil. Tenía que
salvar empinadas rocas y saltar por encima de
algunos brazos de mar con el agua muy agitada.
Cuando llegué al extremo de la isla, vi una alta
puerta que se abría en el muro. Me dirigí hacia
ella con paso débil: estaba hambriento después

del agotador y accidentado viaje que había hecho.

En las rocas de delante de la puerta vi un pequeño puerto y un camino que lo comunicaba con la entrada de la ciudad. Llegué hasta el camino y lo recorrí hasta distinguir el gran arco de la entrada de la Ciudad de la Fortuna.
Al otro lado de la puerta, las calles de la ciudad dibujaban una cuadrícula y estaban atestadas de gente.

—¡Deja paso! Aparta —dijo un hombre con tono impaciente al cruzarse conmigo—. Tengo prisa.

—Lo siento —respondí, malhumorado, haciéndome a un lado para dejarlo pasar.

No era mucho más alto que yo. De cuerpo rechoncho, tenía los brazos y las piernas muy delgados. El rostro era alargado y puntiagudo, como si alguien le hubiera cogido la nariz y hubiera tirado con fuerza.

Las personas itenían aspecto de ratas!

El pelo le nacía casi desde las cejas, tenía unos dientes grandes y protuberantes y los ojos eran pequeños y muy negros. ¡Parecía una rata sorprendida!

Observé a la masa de gente y me di cuenta de que todos parecían ratas. Algunos llevaban maletines, otros hablaban por el móvil. Unos cuantos empujaban carritos llenos de cosas, y unos pocos, con largos abrigos grises, se movían entre la gente sobre extrañas motocicletas de una sola rueda.

Al otro lado de la calle llena de gente había una hilera de edificios viejos y, tras ellos, se distinguía una masa de deslumbrantes rascacielos de cristal. Estaban tan juntos los unos de los otros que parecían los tubos de un órgano, y las ventanas de cada uno de ellos se distanciaban de las de al lado solo unos pocos centímetros.

Me metí en medio de la masa e intenté abrirme paso hacia el centro de la ciudad. Después de tantos días de soledad, encontrarme rodeado de tanta gente me provocaba mareo. Empecé a sentirme confundido y desorientado, y la masa me arrastraba de un lado a otro.

—Perdón —decía cada vez que alguien me empujaba a un lado—. ¡Ay, perdón, ay! ¿Saben dónde puedo encontrar algo para comer?

Nadie respondía. Todos se afanaban de un lado a otro con la mirada vacía y una expresión decidida y ansiosa en el rostro.

—Por favor, déjenme pasar —exclamé.

De repente, me vi empujado hacia un grupo de gente que se dirigía calle abajo. Me arrastraron bajo los arcos de un alto viaducto; un tren repleto de gente pasó por encima.

En lo alto de una torre de piedra, un enorme reloj empezó a dar campanadas. Levanté los ojos y vi que eran las nueve de la mañana. Y entonces, como si fueran autómatas, todas esas personas empezaron a meterse dentro de los edificios. Al cabo de un minuto me encontré, mareado y desorientado, en medio de una calle vacía.

Unos rascacielos se levantaban
en medio de varios edificios viejos

La ciudad era una desordenada mezcla de edificios antiguos y modernos. Algunas casas tenían tres y cuatro pisos de altura, estaban construidas con piedra amarilla y los tejados con tejas anaranjadas. Las altas agujas que coronaban los rascacielos quedaban encajonadas por encima de ellos. En seguida, la ciudad resonó con el zumbido de luces, ordenadores, impresoras, copiadoras. Y, al cabo de un minuto, empezaron a aparecer mensajeros cargados con montones de papeles, que corrían de un edificio a otro.

—Disculpe —dije a uno de los hombres que pasó por mi lado.

Este aminoró un poco el paso y me miró con curiosidad.

—No puedo detenerme. Demasiado que hacer, demasiado que hacer —dijo en tono agudo y ansioso, y siguió caminando.

—Discul… —intenté, al ver a otro mensajero pasar cerca de mí.

Pero este ni se molestó en mirarme. Se limitó a decir:

—¿No ves que estoy ocupado?

«Vale —pensé—. Ya me he hartado de esto.» Entonces pasó otro mensajero. Alargué la mano y lo sujeté de la manga.

—¡Deténgase! —supliqué.

—¡Eh! ¿Qué haces? —exclamó el mensajero,

que me miró con ojillos alarmados y el hocico tembloroso—. Vas a paralizar la Ciudad de la Fortuna.

—Pero solo quiero saber… —empecé a decir, pero el hombrecillo empezó a patear el suelo mientras miraba un enorme reloj de bolsillo.

—Ya sé que no soy más que una pieza —me interrumpió, soltándose de mi mano—. Pero si detienes a una pequeña pieza, la maquinaria de la industria se detendrá. Y entonces, ¿qué pasará, eh? ¿Es que no te enseñan nada en la escuela?

Y, después de decir eso, el hombre chasqueó la lengua y se alejó a toda prisa.

—¿Dónde puedo encontrar algo para comer? —le pregunté a gritos.

—¡En un restaurante! —respondió él a gritos.

«Pues muchas gracias —pensé, mientras el hombre desaparecía tras la puerta de cristal de uno de los rascacielos—. Muy gracioso.»

Expulsado

No se veía ninguna tienda de comestibles en esa ancha avenida, así que decidí probar en un estrecho callejón que salía de ella. Giré por una esquina y otra, siguiendo otros callejones que se alejaban en todas direcciones, y pronto me di cuenta de que me había perdido. Los callejones

eran oscuros y desagradables. En las paredes
había unos grandes carteles con las letras
grandes y negras:

Uno de los callejones me llevó hasta un
pequeño patio cerrado y en él, por fin, vi unas
pequeñas tiendas antiguas. Las recorrí, ansioso,
esperando que alguna de ellas fuera de
comestibles, pero pronto me sentí
descorazonado. Había una ferretería, regentada
por una señora muy gorda que llevaba una

Los tenderos me observaban

polvorienta bata de color marrón y que charlaba ante la puerta de su negocio con el propietario de la barbería vecina.

Al otro lado había una tienda de juguetes y una de televisores, pero en ninguna de ellas se vendía comida. Los tenderos me observaban con desconfianza, olisqueando el aire con nariz temblorosa.

—¿Qué quieres? —preguntó la señora con voz chillona y áspera.

—Disculpe, estoy buscando algo para comer —respondí.

—Pues no vas a encontrar nada por aquí —repuso ella.

Al hablar, las mejillas le temblaron como dos gordos trozos de gelatina de color rosa.

—¡Exacto, así que largo! —asintió el barbero.

Su rostro arrugado se contrajo en un fruncimiento de cejas que le dio todo el aspecto de una bola de papel arrugado. Entonces, el hombre sacó una escoba de la tienda y me dio un golpe en el pecho con ella.

—¡Eh! —exclamé—. ¿Por qué hace eso?

—No queremos marginados por aquí —dijo el barbero.

—No soy un marginado —protesté—. Ni siquiera sé qué es eso.

—Bueno, pues lo pareces, diablo andrajoso —respondió con desprecio—. Lárgate antes de que llamemos a los guardias.

—Sí, desaparece de aquí, granuja —dijo la señora gorda.

Y los dos avanzaron hacia mí. Un atildado hombrecillo ratonil que tenía un bigote fino se unió a ellos y, entre los tres, me empujaron fuera del patio hacia uno de los callejones.

—Y no vuelvas —gritó el barbero, dándome un golpe de escoba de despedida.

Hui por los callejones. Me sentía solo y aturdido. ¿Por qué eran todos tan desagradables conmigo? Yo no les había hecho nada.

Un amigo

Ese callejón me llevó hasta la plaza de un mercado, y sus ruidos y colores me hicieron sentir cierto mareo. La gente se ajetreaba entre los puestos, inspeccionando los productos y regateando a grandes voces.

En el mercado se vendían todo tipo de cosas: ropa y zapatos; marcos para cuadros y teléfonos móviles. Pero el único puesto que me llamó la atención fue uno que exhibía grandes cestos repletos de manzanas rojas y brillantes y de peras maduras. Metí la mano en el bolsillo y cogí las monedas que mamá me había dado hacía tantos años para que comprara la leche.

¡Ñam, ñam!

Pero mientras contemplaba la escena que tenía alrededor, me percaté de que alguien me estaba observando atentamente. Era un niño delgado y bajito que se apoyaba en una esquina, al otro lado de la plaza. Tenía las manos metidas en los bolsillos de un abrigo largo y raído, y me miraba fijamente.

Se dio cuenta de que yo lo miraba,
y rápidamente se abrió paso y vino hacia mí.

—Te he estado observando —me dijo al
acercarse. Debía de tener unos diez u once años.
Era de hombros estrechos, muy delgado y tenía
el mismo rostro puntiagudo que los demás
habitantes de la Ciudad de la Fortuna. Llevaba
el pelo, abundante y áspero, peinado hacia
atrás desde las cejas, y también tenía unos
dientes grandes y salidos a través de los cuales
sorbía al hablar. La ropa se le veía sucia
y gastada, y su pose era encogida, como si
estuviera agobiado—. Eres nuevo por aquí,
¿verdad?

—Sí, he llegado hoy
—respondí—. Me llamo
Charlie. Charlie Small.

—Estoy encantado de
conocerte, Charlie —saludó
el niño, amable, mientras
me ofrecía una mano
sucia—. Me llamo
Snipe. Pareces
hambriento, Charlie.

—Estoy famélico
—dije—. Hace dos días
que no como.

—Eso no está bien.
Ven conmigo —me

tenía unos diez
u once años

invitó Snipe con una sonrisa amistosa—. Yo me ocuparé de ti.

Snipe se dio la vuelta y se abrió paso a empujones entre los atareados vendedores del mercado.

—Vamos, no te quedes rezagado —me apremió.

Lo seguí hasta el puesto de fruta. Me sentía contento de haber hecho un amigo, por fin. Pero entonces, horrorizado, vi que Snipe se colocaba en la cola de los clientes, alargaba el brazo entre dos mujeres rechonchas, cogía una manzana de uno de los cestos ¡y se la metía en el bolsillo!

Me miró y me guiñó el ojo, pero su expresión de satisfacción duró poco: alguien lo agarró del cuello de la camiseta.

—¡Eh! —protestó Snipe.

Se encontraba en manos de un hombre de pelo grasiento

y expresión maligna. El hombre llevaba puesto un abrigo gris, largo, con un distintivo trenzado en los hombros. Se balanceaba en una de las motocicletas de una rueda que ya había visto antes.

—Te he pillado, alimaña ratera —gruñó el hombre haciendo una mueca que descubría sus dientes frontales—. Ahora vas a venir conmigo.

Yo di un paso hacia delante para ayudar a mi amigo, pero Snipe me miró con expresión de alarma, como si me dijera «no te muevas». Entonces, el corpulento hombre, impulsado por su motocicleta, empujó a Snipe y ambos desaparecieron de mi vista.

Miré a mi alrededor para comprobar que nadie me veía y me alejé por uno de los estrechos callejones.

«¡Perfecto! —pensé—. ¡La única persona amable que encuentro desde La Halconera, y lo pillan por robar!»

¡Una oferta de ayuda que no quise!

Estuve caminando un rato, medio aturdido, preguntándome cómo averiguar dónde habían llevado a Snipe y si debía intentar rescatarlo. Y, como no miraba por dónde iba, me golpeé la espinilla contra un tablón de anuncios que había en medio de la calle.

—¡Ay! ¿A quién se le ha ocurrido dejar esto…? —empecé a gritar, pero me callé al ver lo que anunciaba el cartel—: ¡Genial!

Levanté los ojos y vi unos grandes mostradores repletos de panes, quesos, latas, huevos, chocolate y dulces. El estómago me rugía de hambre.

COMIDA RÁPIDA

para trabajadores con PRISA.

Hacemos cualquier BOCADILLO

en cuestión de MINUTOS.

Entré sin pensármelo. El interior era oscuro y polvoriento. Había un montón de longanizas y jamones colgados del techo. En los estantes de detrás del mostrador se alineaban las sopas y las latas de jamón dulce, y también en el suelo, formando pirámides. En el mostrador había un hombre con cara de topo ciego que me observaba.

—Un bocadillo de dos quesos, jamón y pepinillos —pedí sin esperar a que la campanilla de la puerta dejara de sonar.

—Al momento, señor —repuso el tendero corto de vista, y se puso a trabajar de inmediato.

Mientras esperaba, la campanilla volvió a sonar. Pero yo estaba tan absorto observando al hombre cortar el queso que ni me molesté en mirar.

Los olores de la tienda eran deliciosos. Unos aromas especiados y afrutados se mezclaban en el ambiente, y la boca se me hizo agua. Solo tuve que esperar sesenta segundos, pero esa espera me pareció una tortura. ¡Incluso estuve a punto de saltar por encima del mostrador para arrancarle el bocadillo de las manos! Finalmente, terminó.

El tendero

—Quince cochinos —dijo, dejando mi bocadillo en el mostrador.

—¿Cochinos? —repetí como un bobo.

¡Maldición! No se me había ocurrido que esa gente tendría su propia moneda.

—Exacto, quince cochinos —repitió el hombre moviendo nerviosamente el bigote en un gesto impaciente.

—¿Esto sirve? —pregunté, dejando mis dos

libras y quince peniques sobre el mostrador mientras cogía el bocadillo. Pero ¡no fui bastante rápido! La mano del hombre cayó sobre el bocadillo antes que la mía.

—Quince cochinos —dijo por tercera vez, apartando mis monedas con la otra mano.

—Pero ¡me muero de hambre! —exclamé—. Por favor, déjeme pagarle lavando platos o algo así.

—¿Estás loco? —exclamó el hombre—. ¿Y no pagar? La Ciudad de la Fortuna quedaría paralizada. Quince cochinos o no hay comida.

El hombre estaba a punto de llevarse mi bocadillo cuando el cliente que había a mi lado habló:

—Dáselo —dijo con voz profunda y ronca.

Esa voz me resultó conocida. El hombre alargó la mano por encima de mi hombro y dejó una moneda encima del mostrador.

—Oh, gracias, señor, muy amable de su parte —dije, dándome la vuelta—. Hace dos días que no...

Pero las palabras se me atragantaron. Allí, cerniéndose sobre mí, como un cuervo cadavérico, se encontraba Joseph Craik, el peligroso cazarrecompensas y mi archienemigo. El mismo que había jurado ahorcarme algún día y que quería hacerse con mi valioso mapa. Estuve a punto de desmayarme del sobresalto.

¡Era Joseph Craik!

—¡Oh, no! —exclamé.

Un escalofrío me recorrió la espalda. No podía creer lo que veía con mis propios ojos.

—Bueno, nos volvemos a encontrar, Charlie Small —dijo Craik en tono suave pero amenazador.

Me miraba con su único ojo bueno, y su rostro era duro como la piedra.

Intenté huir hacia la puerta, pero mis piernas parecían de gelatina y el rufián me agarró por el hombro y me arrastró hacia atrás.

—¿Qué prisa tienes, Charlie? ¿No quieres comer? —preguntó con tranquilidad clavándome los dedos en el hombro.

Cogió el bocadillo del mostrador y se lo metió en uno de sus enormes bolsillos.

—¡Suéltame! ¡Me haces daño! —dije.

—Disculpe —dijo el tendero, nervioso.

Pero Craik lo ignoró y me empujó hacia la puerta. Ya salíamos de la tienda cuando el tendero gritó con voz chillona otra vez:

—Disculpe, señor. Su cambio.

—Quédatelo, maldito idiota —ladró Craik girándose con enojo hacia el hombre.

Pero mientras lo hacía, conseguí cerrar la puerta de golpe pillándole la mano.

—¡Aaaayyy! —bramó.

Craik me soltó un instante y aproveché para salir a toda pastilla callejón abajo. Corría con todas mis fuerzas.

Al cabo de unos segundos, Craik ya había salido de la tienda y corría detrás de mí.

—Dame el mapa, chico —vociferó con voz ronca—. Dámelo o te haré a cuartos como si no fueras más que un maldito pollo.

Yo continué corriendo con el corazón desbocado de miedo. Sabía perfectamente para qué quería Craik mi mapa. Quería encontrar el camino que llevaba a mi mundo para, una vez allí, cometer los peores robos de toda la historia del delito y, luego, regresar a su mundo. Y *eso* no debía suceder: ¡sería un desastre!

¡Lárgate, Craik!

Arrinconado

Le llevaba ventaja a Craik, pero me encontraba agotado y débil a causa de la falta de comida. Cambié de una callejuela a otra, algunas estaban vacías y otras atestadas de gente, pero Craik me alcanzó muy pronto. Oía su respiración detrás de mi cabeza. De repente, su sombra se proyectó en el suelo por delante de mí y sentí que tiraban de mi camiseta, pero conseguí soltarme y di la vuelta a una esquina. Sabía que Craik siempre llevaba una pistola, pero quizá era demasiado arriesgado para él utilizarla en un lugar tan lleno de gente.

Entonces el entorno cambió. Corrí por la calle principal otra vez, y me metí entre unas enormes columnas que soportaban uno de los rascacielos de cristal. Corrí entre ellas y me escondí detrás de una que quedaba oculta en la sombra.

Los pasos de Craik sobre el suelo de adoquines resonaban en el techo de vigas. Se detuvo, volvió a correr y, poco a poco, se alejó: ese gánster siguió en la dirección equivocada. Esperé y esperé hasta que estuve seguro de que se había ido. Saqué la cabeza un poco y no vi nada más que las sombras de las columnas y la luz que se colaba entre ellas, así que salí de ese enorme edificio y tomé una calle situada por detrás de él.

«Maldita sea», pensé, pues me había metido en un callejón sin salida que recorría la parte trasera de unas oficinas y que terminaba en pendiente. Al final del callejón, arriba de la pendiente, había una hilera de contenedores con ruedas apoyados contra el alto muro de la ciudad. Y, de repente, soltando un grito, apareció

Estaba en un callejón sin salida

Craik corriendo detrás de mí.

—¡Ajá! Te he arrinconado, pequeña alimaña —bramó. Se detuvo y desenfundó su pistola—. Y ahora, dame el mapa.

Retrocedí de espaldas, hacia el final de la calle, buscando desesperadamente una puerta abierta en uno de esos edificios, pero todas estaban cerradas.

—Vamos, chico. Es hora de que te rindas; estás derrotado —se burló Craik, acercándose a mí.

¡Casi atrapado!

—Déjame en paz, Craik —dije.

—Dame el mapa y te prometo que no te haré daño —repuso él, metiéndose la pistola en el bolsillo y levantando ambas manos para mostrar que estaba desarmado.

Dio otro paso hacia mí.

—De ninguna manera —repuse.

Entonces, rápido como una serpiente, Craik se lanzó hacia mí, me agarró por la muñeca y me torció el brazo en la espalda.

—¡Aaayyy! —grité.

Craik me pasó el otro brazo alrededor del cuello.

—Vamos, dámelo, o te parto el brazo como si fuera una ramita —me susurró al oído.

—¡VALE, VALE! Pero suéltame —dije.

El villano me soltó y yo saqué el mapa de mi bolsillo trasero. Craik lo cogió y lo observó con ojos ansiosos.

—Oh, ahora ya estoy muy cerca, Charlie —se burló, lamiéndose los labios finos y llenos de costras—. Cuando llegue a tu mundo, nadie entenderá qué habrá sucedido.

—Eres un villano —dije.

En ese momento oí un ruido procedente del final del callejón. Uno de los enormes contenedores con ruedas había empezado a rodar calle abajo, en línea recta hacia nosotros.

Me hice a un lado rápidamente, pero Craik estaba tan absorto observando el mapa que no se dio cuenta.

«Vamos, más deprisa, más deprisa», pensé,

¡Un contenedor rodó callejón abajo!

como dándole prisa al contenedor, pues me di cuenta de que iba a chocar con Craik. Pero, en

el último minuto, Craik oyó el ruido y se dio
la vuelta, sorprendido. Y, al mismo tiempo,
se abrió la tapa del contenedor y apareció
la cabeza de un niño. ¡Era Snipe!

—Para mí, gracias —gritó Snipe, alargando la
mano y quitándole el mapa a Craik.

El contendor dio un fuerte golpe a Craik en
el hombro y lo hizo caer al suelo de espaldas.

—¡Salta! —me apremió Snipe.

Corrí a toda pastilla, me agarré al borde del
contenedor y, dándome impulso en la palanca de
la base, salté dentro. Bajábamos a toda velocidad
por la calle mientras Craik se ponía en pie
e intentaba seguirnos, cojeando y sujetándose
el hombro con la mano.

—¡Os atraparé! ¡Os atraparé a los dos!
—vociferó, sacando la pistola y disparando al
aire—. Y cuando lo haga, lo lamentaréis.

—¡Hasta la vista, bobo! —exclamé, alegre.

Al cabo de un momento, el contenedor chocó
contra la esquina del final de la calle y volcó. Fui
catapultado por los aires y Snipe cayó al suelo
en medio de un montón de basura, pero los dos
nos pusimos en pie inmediatamente.

—Sígueme —dijo Snipe.

Corrimos bajo rascacielos, cruzamos a toda
velocidad la calle principal y nos metimos por
una estrecha calleja.

Subimos al tejado

A mitad de la callejuela vimos una escalera de incendios que subía en zigzag a un lado de uno de los edificios. El niño dio un salto, se agarró al último peldaño y, con el peso de su cuerpo, hizo bajar el último tramo de la escalera hasta el suelo.

—Deprisa, arriba —ordenó casi sin aliento.

Miré hacia atrás y vi que Craik cruzaba la calle principal, cojeando. Todavía se sujetaba el hombro con la mano, y se dirigía hacia la callejuela.

Subí los oxidados peldaños hasta la primera plataforma. Snipe me siguió y llegó a mi lado justo en el momento en que Craik aparecía por la entrada de la callejuela. En cuanto Snipe sacó el pie del escalón, el tramo de la escalera volvió a izarse.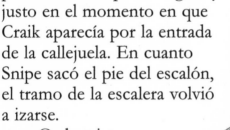

—Os he visto —bramó Craik, disparando contra nosotros.

¡Bang! La bala rebotó en la plataforma de metal y el

villano levantó el brazo para agarrar el tramo de escalera y hacerlo bajar hasta el suelo.

—No, no lo conseguirás —gritó Snipe, colocando un bloque de madera debajo del tramo de escalera para bloquearlo—. Vamos —volvió a ordenarme.

Subimos corriendo hasta la siguiente plataforma y, luego, hasta la siguiente.

¡Bang! Otra bala rebotó contra la estructura de metal, bajo nuestros pies, y la escalera resonó como una campana. Craik volvió a disparar. ¡Bang! Pero nosotros ya habíamos llegado arriba de todo: saltamos por encima de una barandilla y llegamos al tejado.

Miré hacia abajo con intención de dedicarle un comentario provocador, pero Craik había desaparecido, así que solté un suspiro de alivio y me senté. Me sentía un poco mareado.

Otra vez Snipe

Snipe se sentó a mi lado, apoyado contra la barandilla.

—¿Estás bien, Charlie? —preguntó.

—Solo un poco débil —respondí, respirando hondo.

—Es por el hambre, es por eso. Toma, cómete esto.

Se metió la mano en un hondo bolsillo de su sucio abrigo y sacó mi bocadillo de queso doble, jamón y pepinillos.

—¿Cómo lo has conseguido? —exclamé.

—Se lo saqué del bolsillo a tu amigo cuando le di con el contenedor —dijo Snipe con una sonrisa de orgullo.

Eso me hizo recordar que habían hecho prisionero a Snipe solo una hora antes.

—Un momento —lo interrumpí—. ¿Cómo escapaste de ese hombre?

—Oh, fue fácil —respondió Snipe sonriendo—. Los guardias de la ciudad no son capaces de retenerme. ¡Soy más escurridizo que una anguila, desde luego que sí!

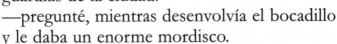

—¿Qué son los guardias de la ciudad? —pregunté, mientras desenvolvía el bocadillo y le daba un enorme mordisco.

—Una molestia, eso es lo que son —respondió Snipe—. Son la policía que patrulla por la ciudad para comprobar que todo el mundo trabaja y que hace lo que se supone que debe hacer.

El bocadillo estaba delicioso, y al cabo de un instante solo me quedaba un trocito muy pequeño.

—¡Oh, lo siento! —dije, con la boca llena—. Me olvidé. ¿Quieres un poco?

—No, no hace falta —dijo Snipe, mirando el pequeño trocito que me quedaba—. Acábalo… Oh —añadió al ver que me lo metía en la boca—. Ya lo has hecho. ¿Te sientes mejor?

—Un poco. Gracias por rescatarme, por cierto.

—No ha sido nada —afirmó, rascándose los dientes delanteros con una larga y sucia uña—. Me preguntaba si me encontraría otra vez contigo. Estaba escondido en el contenedor cuando te vi girar la esquina del callejón, huyendo de ese matón con cicatrices en la cara. Por cierto, ¿quién es?

—Se llama Craik —expliqué—. Quiere mi mapa.

—Ah, sí, casi lo olvidé. Toma —dijo Snipe.

—¡Oh, genial! —exclamé, cogiendo mi valioso mapa—. ¿Sabes lo importante que es?

Pero Snipe no respondió. Miraba hacia los millones de ventanas de los rascacielos que nos rodeaban.

—Vamos, Charlie —dijo—. Es hora de ponerse en marcha. Por aquí hay demasiados ojos.

Me puse en pie, pero todavía me sentía débil.

Notaba la cabeza muy caliente, y tenía la frente perlada de sudor. Seguí a Snipe por el tejado con paso vacilante. Era como si me encontrara en medio de un extraño sueño.

—¿Y por qué es tan importante ese mapa? —oí que preguntaba Snipe como si estuviera muy lejos de mí—. ¿Es un mapa del tesoro o algo así?

—Es mejor que eso. Muestra la ruta a un mundo paralelo, y lo hizo la nieta de un inventor chiflado que se llama Jakeman —dije. Me costaba hablar, como si tuviera fiebre—. Jakeman hizo un experimento con el tiempo y el espacio que le salió mal y que me sacó de mi mundo y me trajo a este. Fabrica unos fantásticos animales mecánicos muy raros, como el rinoceronte de vapor, y hace cientos de años que me fui de casa y esta es la única oportunidad que tengo de regresar, pero Craik quiere mi mapa, y no debe conseguirlo y... y...

Y me desmayé.

Lo siguiente que recuerdo es que me echaban agua fría a la cara. Snipe estaba

Notaba la cabeza
muy caliente...
y me desmayé.

arrodillado a mi lado y tenía mi cantimplora de agua en la mano.

—Será mejor que vengas a casa conmigo y descanses un poco, Charlie. ¡Lo que decías no tenía ningún sentido! —propuso Snipe—. Vamos, te ayudo a ponerte en pie.

Me hizo poner en pie y nos dirigimos hacia el otro extremo del edificio. Desde allí se veía un apretado paisaje de cornisas, tejados en pendiente y torrecillas que abarcaba toda la ciudad.

Pasamos sobre el brazo de una grúa que cruzaba uno de los callejones hasta el tejado del edificio de enfrente. Allí, una hilera de gruesas chimeneas se izaba como raros árboles sin ramas. Pasamos entre ellas y, luego, por una plataforma, cruzamos hasta otro tejado. Me sentía tan mareado que Snipe tuvo que darme la mano para asegurarse de que no me caía a la calle.

El escondite de Snipe

Trepamos por empinadas cuestas de tejas y pasamos entre chimeneas en espiral. Saltamos por encima de estrechos callejones, y descendimos y subimos por cañerías de cobre hasta que, al final, llegamos a casa de Snipe.

—Ya hemos llegado —anunció Snipe con orgullo mientras trepábamos por un alto parapeto que rodeaba una gran terraza—. ¡Hogar, dulce hogar!

No sé qué me esperaba encontrar, pero desde luego no imaginé que se trataría de ese conjunto de chozas desvencijadas y tiendas improvisadas que se escondían detrás de ese muro. Unas grandes telas clavadas en postes cubrían las chozas. Esas telas rodeaban como un gran toldo todo el parapeto y servían para proteger las moradas de las miradas indiscretas procedentes de un rascacielos cercano.

Cinco o seis niños andrajosos estaban bajo la sombra de ese toldo. Una mujer bajita, regordeta, desgreñada, que parecía no tener cuello y con cara de ratón removía el interior de una bolsa que uno de los niños acababa de darle. Llevaba una falda vieja y sucia, un delantal muy manchado y un gran chal. Su figura parecía un revoltillo con patas.

—Lo has hecho bien, Tips. Aquí hay un buen juego de cucharillas de plata. Las podemos fundir y vender la plata —estaba diciendo.

—¡Eeooo! —gritó Snipe cuando nos acercamos.

La mujer levantó la cabeza y nos miró con ojos fulminantes.

—¿Quién está contigo, Snipe? —preguntó, olisqueando el aire con la nariz temblorosa.

—No pasa nada. Es un amigo —dijo Snipe—. Tenía problemas, y necesitaba un poco de ayuda.

¿Quién es tu amigo?

—¿Estás seguro de que es de confianza? —preguntó la mujer.

—Sí, él también huye, como nosotros —respondió Snipe.

La mujer me miró con sus ojillos oscuros y redondos.

—Vale, te creo —dijo, al fin—. Parece agotado. Llévalo a tu choza y os traeré un poco de comida dentro de un minuto.

Mi nuevo amigo me acompañó hasta una destartalada choza cerca del muro. Era oscura, sucia y fría, pero había un camastro al lado de la pared con un montón de sábanas encima.

—Ahí tienes —dijo Snipe—. Puedes usar mi cama. Tengo un colchón viejo por algún lado para mí.

No necesité que me lo repitiera. Dejé caer la mochila al suelo, me tumbé en la desordenada cama y me quedé dormido al cabo de dos segundos.

La señora Mudge

A la mañana siguiente, al despertar, estaba solo. El delgado colchón en que Snipe había dormido se encontraba enrollado y guardado en una esquina

He salido a por comida
Volveré luego,
Snipe
P.S. ¡No toques nada!

de la choza. Pero me había dejado una nota
en la que decía que había salido a por comida:

—¿A dónde habrá ido a buscar comida?
—me pregunté en voz alta mientras volvía
a tumbarme.

Todavía me sentía muy cansado después
de mis aventuras pero, desperezándome
y bostezando, conseguí levantarme de la cama.

La pequeña choza que Snipe llamaba hogar
no era más que un almacén de trastos
amontonados por todas partes. Había un
montón de libros mohosos y, encima, una
maceta con un solo diente de león. Había un
viejo tambor con la piel rota y, dentro, un nido
de pájaro. Había muchas cajas de cartón que
contenían juguetes rotos y un antiguo reloj de
bolsillo colgado de una viga del techo.

Un estrecho estante
recorría las cuatro paredes
de la choza y, en él, se
alineaban un montón de
platos descascarillados,
cuencos y marcos de foto
vacíos. En la pared de
la cabecera de la cama
colgaba un pequeño
recorte de periódico con
una descolorida foto de
un hombre con cara

**El señor Grindstone,
empleado del mes de
Ciudad de la Fortuna,
¡otra vez!**

de ratón y expresión satisfecha. El titular decía:
«El señor Grindstone, empleado del mes de
Ciudad de la Fortuna, ¡otra vez!».

Me acerqué a la puerta y saqué la cabeza.
En medio de la terraza se encontraba la mujer
a la que había visto la tarde anterior. Estaba
removiendo el contenido de un enorme cazo,
pero cuando levantó la vista, yo me escondí.
Fui hacia dentro, pero ella ya me había visto.

—Debes de estar hambriento, querido —dijo,
alzando la voz—. Ayer ya estabas dormido
cuando te llevé la comida.

El estómago me rugía, así que salí. El cielo
estaba claro y el sol, brillante, pero el toldo que
nos ocultaba proyectaba una sombra moteada
por todo el tejado.

—Hace años que no como nada —dije—.
Bueno, solo un bocadillo.

—Pues adelante, Charlie Small —dijo la
mujer—. Aquí siempre hay comida.

—Sabes cómo me llamo —dije
acercándome a las ascuas que
calentaban el cazo de la comida.

—Snipe me dijo tu nombre
—repuso ella, sirviéndome un
cuenco de judías con restos de
estofado—. Tú me puedes llamar
señora Mudge, puesto que es mi
nombre.

Judías con restos
de estofado

—Encantado de conocerla, señora Mudge
—dije, llevándome una cucharada de judías a la
boca.

La señora Mudge tenía una actitud un tanto
mandona y seria, pero parecía muy amable, así
que me relajé de inmediato.

—¡Mmm, está buenísimo!

Me comí el cuenco en cuestión de segundos.
La señora Mudge sonrió y me lo volvió a llenar.
También me lo comí entero y luego se lo ofrecí
para que me lo llenara por tercera vez, pero ella
meneó la cabeza:

—Será mejor que te lo tomes con calma,
jovencito —me dijo—. A este ritmo te
dolerá la barriga. —Entonces señaló hacia un
sumidero que había a un lado de la terraza y
añadió—: Ahí se lavan los platos. Solo tienes
que tirar de la cadena que cuelga del tanque,
Charlie.

Fui hacia allí y coloqué el cuenco en el
sumidero. Un tanque metálico que suministraba
agua a los apartamentos del edificio reposaba
encima de una base de ladrillos rosas. Tiré
de la cadena y un chorro de agua salió por
una cañería hasta el sumidero. Lavé el cuenco
rápidamente, antes de que cayera demasiada
agua e hiciera ruido en la cañería. Luego lo puse
al sol para que se secara.

—¿Dónde están los demás? —pregunté.

—Ellos, bueno… buscando cosas —dijo la señora Mudge.

—¿Buscando qué cosas? —pregunté.

¿Quizá Snipe solo estaba «buscando» manzanas cuando lo pillaron en el mercado?

—Oh, no tengo tiempo para muchas preguntas, Charlie Small —dijo la señora Mudge mientras se sentaba y se colocaba un saco de ropa vieja entre las piernas—. Tengo mucho que hacer, querido, y no puedo estar chismorreando todo el día. Debes distraerte por tu cuenta. Los demás llegarán a la hora de comer.

No había gran cosa con que distraerme en esa terraza. Snipe me había prohibido que tocara sus valiosas pertenencias, así que toda la diversión que tenía a mano era confeccionar barcos de papel con unos periódicos viejos y hacerlos navegar por el río de agua improvisado del sumidero. Y he pasado el resto del tiempo poniendo mi diario al día.

Ahora lo dejo, porque algunos de los niños que vi ayer están llegando. Ya continuaré escribiendo luego.

La búsqueda

Llegaban de uno en uno o de dos en dos, trepando por cañerías, saliendo por los tejados o colándose entre las altas chimeneas de terracota. Snipe fue uno de los primeros en regresar. Se dirigió hasta donde estaba la señora Mudge, dejó un viejo saco de lona a sus pies, cogió un cuenco de comida que ella le dio y vino corriendo hacia mí.

—¿Qué tal va, Charlie? ¿Te sientes mejor? —preguntó Snipe, haciendo temblar su larga nariz.

—Mucho mejor, gracias —respondí.

—Me alegro —dijo él. Y, con expresión más seria, añadió—: Supongo que te habrás preguntado qué hemos estado haciendo durante todo el día.

—Creo que lo adivino.

—Bueno, pues siéntate igualmente, Charlie, y deja que te lo cuente tal y como es —dijo.

Me senté sobre una chimenea bajita que todavía estaba caliente.

—La pandilla sale cada día a recorrer la ciudad en busca de cualquier cosa útil —empezó a explicarme Snipe—. Todo lo que encontramos se lo traemos a la señora Mudge. Ella es la organizadora; nos dice lo que necesitamos y, cuando le traemos el botín, separa las cosas comestibles de las que se pueden utilizar en el campamento y de las que debemos vender.

—¿Cuando dices «en busca de», qué quieres decir? —pregunté.

—Pues eso, «en busca de» —repuso Snipe—. Podemos encontrar alguna cosa en el bosillo de alguien, o en la repisa de cualquier ventana abierta. A veces, si es necesario, encontramos cosas en las tiendas. La señora Mudge nos asigna las tareas del día y ella se queda en el campamento preparando las comidas y limpiando las chozas.

«Oh, demonios —pensé—. He ido a parar al antro de una pandilla de ladrones!»

Podríamos encontrar algo en una ventana abierta

—Ahora que ya conoces nuestra organización, es hora de que te presente a los demás —continuó Snipe—. Venid, que os presentaré a Charlie —gritó—. El nuevo miembro de la pandilla.

Los demás cogieron sus cuencos y se acercaron rápidamente, gritando y bromeando todos a la vez. Eran Tips, Talia, Finn, Midge y Snotty, y en seguida me hicieron sentir muy bienvenido.

—¿Cómo llegaste aquí? —preguntó Talia, una niña nerviosa y delgada como un palillo que tenía la cara más pálida del mundo.

—Llegué por un desierto, montado en un patín volador —contesté—. Pero a medio camino, se convirtió en un océano.

—Ah, siempre sucede —dijo Snipe—. Durante seis meses al año es un desierto, pero luego el agua empieza a salir por los poros de las rocas y se convierte en un océano durante seis meses más. Debes de haber coincidido con el cambio. ¡Tienes suerte de estar vivo!

—¿De dónde vienes? preguntó Midge, un niño recio que tenía la cara llena de pecas.

—De otro mundo —contesté.

—¿Es por eso que tienes la cara tan chata? —preguntó Snotty, quitándose los mocos de la nariz con el dorso de la mano.

—¿De quién huyes, Charlie? —preguntó Finn.

—Callaos y no lo agobiéis —exclamó Snipe—. Quizá no nos lo quiera contar.

—No pasa nada —repuse.

Snotty   Talia

Les conté todas mis aventuras a Snipe y a sus amigos. Les conté que hacía cuatrocientos años que intentaba regresar a casa, y por qué Craik andaba detrás de mi mapa.

—Hemos sido enemigos desde que me hice miembro de una pandilla de piratas. Le robé y hundí su galeón —expliqué—. Luego, él descubrió que yo venía de un mundo distinto y que tenía un mapa que indicaba el camino de regreso a él. Y se obsesionó por conseguirlo. Cuando sepa dónde está el portal entre los dos mundos, tiene pensado cruzarlo, llevar a cabo una serie de delitos infames y huir de nuevo a este mundo.

A Snipe no pareció sorprenderle ni interesarle en absoluto el hecho de que yo proviniera de otro mundo

—Bueno, ya me pareció que no eras de por aquí, con esa nariz chata —se rio. Pero los planes de Craik sí lo habían impresionado—: ¡Uau, qué guay! —dijo, soltando un silbido de admiración. Pero al ver mi expresión de asombro, se apresuró a añadir—: ¡No, lo que quiero decir es qué horrible!

Me sentí descorazonado. ¡Snipe y sus amigos eran tan amables que había olvidado que también eran ladrones!

—No te preocupes, Charlie —dijo Snipe, sonriendo—. Nosotros no queremos tu mapa.

Solo robamos cosas para sobrevivir. ¡Somos marginados, no criminales!

—¿Marginados? ¿Qué quieres decir? —pregunté.

Los marginados

¡No somos unos ángeles!

—No somos unos ángeles, eso seguro —dijo Snipe—. Pero tampoco somos unos matones. Mira, la cosa es así: Ciudad de la Fortuna es una enorme máquina que no perdona; una máquina de oficinas y fábricas y tiendas, y necesita a todos esos memos que te encontraste afanándose como hormigas para continuar funcionando. Si una parte de ellos se detuviera, toda la ciudad se paralizaría. Y, entonces, ¿qué haría todo el mundo?

—No sé —dije, encogiéndome de hombros.

—Ellos tampoco, ese es el problema —dijo Snipe—. Bueno, yo y mis colegas somos las piezas que no encajamos en esa máquina, y hay muchos como nosotros en toda la ciudad, jóvenes y viejos. No queremos pasarnos la vida encerrados en una torre de cristal, apretando botones y ordenando papeles. ¡Eso es un juego de memos! Así que sobrevivimos de la única manera que podemos. Salgo a hacer pequeños hurtos, pero nada importante. Y es una buena vida cuando te acostumbras. Es lo que llaman un estilo de vida, Charlie, y yo he elegido el estilo de vida de un marginado.

—Pero ¡eso es robar! —exclamé—. Y está mal. A ti no te gustaría que alguien te quitara tus cosas.

—Eso suena muy fuerte, viniendo de alguien que ha sido un pirata —dijo Snipe, en absoluto ofendido—. De todas maneras, no tengo nada que valga la pena robar. ¡Ja! —añadió, cruzándose de brazos con aire triunfal, convencido de que había ganado la discusión.

—¿Dónde están vuestros padres? —pregunté, cambiando de tema.

—Mudge es nuestra madre —dijo Tips, una niña de pelo hirsuto, con ojos brillantes de color violeta, y que parecía la más joven de la pandilla—. Nuestro padre era un mensajero de la ciudad, pero desapareció a causa del agotamiento hace un par de años.

¡ARG! ¡yo era un pirata!

—Por eso decidimos convertirnos en

marginados —explicó Snotty, restregándose
los mocos con la manga—. No nos va a pasar
lo mismo que a Pops.

—Oh, lo siento —dije—. ¿La señora Mudge
también es tu mamá? —le pregunté a Snipe.

—¡No! Mis padres todavía están por alguna
parte, trabajando en alguno de esos rascacielos
e intentando convertirse en empleados del año
—explicó—. Casi nunca los veía; siempre estaban
trabajando. Así que un día decidí largarme y vivir
por mi cuenta.

—¿No estarán preocupados? —pregunté,
asombrado.

—Seguramente ni se habrán dado cuenta de
que no estoy —respondió en voz baja y con
expresión triste—. Bueno, basta de todo esto.
¿Quién quiere comer algo más?

—¿A ti qué te parece? —contestaron los
demás—. ¡A por la comida, Snipe!

Al día siguiente

La pandilla estuvo fuera todo el día. Yo ayudé
a la señora Mudge a separar las cosas del botín
del día anterior y a guardar algunos cubiertos de
plata con iniciales grabadas.

83

El día después

Voy recuperando fuerzas poco a poco. Hoy Snotty trajo un enorme pavo asado al horno, todavía caliente. Estaba delicioso, pero ¡quién sabe de dónde lo ha sacado o cómo ha conseguido transportarlo por todas esas calles atestadas de gente!

Al otro día

¡Me dolió la barriga todo el día por haber comido demasiado pavo!

Unos días después

Ha terminado un día más, y ahora me encuentro arropado en la cama, escribiendo en mi diario. Ya hace una semana que estoy con los marginados y empiezo a ser yo mismo otra vez. Me he alimentado y toda la pandilla me ha acogido bien, incluida la señora Mudge, que nos cuida como una gallina a sus pollitos.

Es raro vivir en una terraza, pero hay mucho espacio y unas vistas preciosas de la ciudad. Uno de los rascacielos da a nuestro campamento, pero la tela nos protege de ser vistos. El humo que hace la señora Mudge al cocinar no se ve porque se mezcla con el humo que sale de las chimeneas de los tejados de alrededor.

Los marginados salen a buscar cosas cada día y, mientras están fuera, yo ayudo a la señora Mudge en el campamento o me siento apoyado en una cálida chimenea a leer uno de los libros que la pandilla me trajo.

A veces los marginados llegan con bolsas llenas de comida y chucherías; otras veces no traen nada en absoluto. De vez en cuando, alguno de ellos es capturado por los guardias de la ciudad, pero los guardias nunca se aventuran a subir a los tejados, así que nos sentimos muy seguros aquí, escondidos entre las humeantes chimeneas.

Durante sus salidas, Snipe ha estado haciendo averiguaciones sobre Craik, pero no ha sabido nada de él. Ha visitado otros campamentos de marginados, pero ellos tampoco lo han visto.

—Pero ¿cómo pueden haberlo visto? No saben qué aspecto tiene —dije.

—Lo reconocerían, Charlie. Tiene la cara

chata, como tú. Vosotros dos llamáis la atención en esta ciudad —se rio Snipe.

Me pregunté si Craik no habría abandonado, por fin, su persecución y si no se habría marchado de la Ciudad de la Fortuna.

Ahora mi diario está al día, y ha llegado el momento de que empiece a pensar en seguir mi camino. Pero, antes de irme de la Ciudad de la Fortuna, hay una cosa que debo hacer. Esta tarde, mientras Snipe y yo charlábamos en su destartalada choza, la señora Mudge sacó la cabeza por la puerta y dijo:

—¿Listos para ir a la cama, vosotros dos? Buenos chicos. Bueno, Charlie, ya hace una semana que estás aquí, y aunque ha sido un placer y no te lo reprocho en absoluto, los marginados tienen una regla. Solo una regla, pero una regla al fin y al cabo. ¡Todo el mundo que está con nosotros debe aportar algo a la pandilla, querido! Quiero que mañana salgas con Snipe y traigas algo. ¡Buenas noches, chicos!

—No te preocupes, Charlie —dijo Snipe, viendo mi cara de preocupación—. Te enseñaré cómo hacerlo.

¡Oh, vaya! ¿Qué tendré que hacer?

Hace siglos que intento dormir, pero estoy

¡todo el mundo debe aportar algo a la pandilla, querido!

demasiado nervioso por lo que pueda suceder mañana. Snipe no está preocupado. Para él no será más que un día de trabajo como cualquier otro, y se ha dormido enseguida en su colchón. Está roncando muy fuerte, y hace chirriar los dientes todo el rato.

Seguiré escribiendo más tarde.

¡Oh, vaya! ¿En qué lío me he metido?

Aprovisionamiento

—¿Qué hay que hacer? —pregunté a la mañana siguiente—. Si hay que meter mano en un bolsillo, no cuentes conmigo. Mis incursiones pirata hicieron que casi acabara colgado de la horca, y no quiero arriesgarme otra vez.

—No te preocupes, Charlie —me tranquilizó Snipe—. Lo único que necesitamos es encontrar un contenedor lleno y llevarnos todo lo que sea comestible. Lo hacemos todos los días.

—Pero la comida estará podrida —dije.

—En absoluto —me explicó mi amigo mientras yo lo seguía por la terraza—. Ciudad de la Fortuna produce tanta comida que tiran cualquier cosa que no esté absolutamente perfecta. Los plátanos deben tener la forma adecuada. Los tomates deben ser perfectamente redondos y deben tener el tono dorado adecuado. Cualquier cosa que tenga un único rasguño acaba en la basura.

¡Este está demasiado torcido!

—Pero eso es de locos. ¡Vaya desperdicio! —exclamé—. No puede molestarle a nadie que nos llevemos eso.

—Eso es lo que crees, ¿verdad? —dijo

Snipe—. Pero no te voy a engañar, Charlie. Aunque ellos tiren la comida, en la Ciudad de la Fortuna es ilegal que alguien se lleve las cosas de la basura. ¡Si nos pillan, estamos listos!

—¡Vaya, genial! —dije.

Descendimos por una cañería hasta un tejado más bajo, lo cruzamos y bajamos por unos peldaños de cemento hasta un pequeño patio trasero que daba a una esquina. Snipe abrió una pequeña puerta de madera y salimos a una calle llena de gente.

—No te alejes y sígueme —dijo Snipe, mientras la masa nos empujaba de un lado a otro—. Si nos separamos aquí, nunca más nos volveremos a encontrar.

Me mantuve tan cerca de Snipe como pude mientras nos abríamos paso entre la masa de cuerpos. Cruzamos la calle y giramos por otra. Luego giramos a la izquierda, a la derecha y a la izquierda otra vez, hasta que me desorienté por completo y no tuve ni idea de dónde estábamos. Finalmente llegamos a una calle que pasaba por detrás de una inmensa tienda de comestibles. Unos contenedores muy altos se alineaban en el patio, delante de unas enormes puertas.

—Ya hemos llegado —dijo Snipe, pasándome un enorme saco de arpillera—. Yo me meteré en uno de los contenedores y te iré dando la comida.

Cruzamos el patio corriendo y, dando un par

de saltos, Snipe subió encima del primero de los contenedores y se sentó en la tapa.

—Vigila por si se acercan los guardias de la ciudad —avisó—. Son inconfundibles. Todos se parecen a aquel que me detuvo. Llevan unos abrigos grises y van en esas motocicletas de una sola rueda.

Y, después de decir eso, Snipe saltó al interior del contenedor.

Miré a mi alrededor, nervioso, con el corazón palpitándome con fuerza, pero el patio estaba vacío y tranquilo.

—Abre el saco, Charlie —oí que decía Snipe desde el interior del contenedor.

Abrí el saco y lo sujeté para recoger con él la comida que Snipe iba lanzando por encima de la pared del contenedor. Tenía que saltar de un lado a otro para atrapar la comida que volaba por los aires: una barra de pan demasiado tostada, una lechuga un poco mustia, una bolsa de patatas blandas y una col vieja.

Al final, Snipe salió y saltó al siguiente contenedor. Más comida empezó a volar por los aires y yo empezaba a pasarlo bien corriendo de un lado a otro para atraparla al vuelo con el saco. Seguramente fue por eso que no oí el rum-rum-rum de unos motores que se acercaban hasta que ya fue demasiado tarde.

Me di la vuelta y vi que dos guardias en motocicleta llegaban al patio.

Los guardias de la Ciudad de la Fortuna

—Oh-oh, tenemos compañía —dije en voz baja—. ¡Guardias!

—¿Cuántos? —preguntó Snipe en un susurro.

—Dos, y no parecen muy simpáticos —dije.

Los dos hombres llevaban el pelo engominado y peinado hacia atrás, y unas gafas de sol que les escondían los ojos.

Sus abrigos largos casi llegaban al suelo y solo dejaban al descubierto la parte inferior de la rueda de sus motocicletas. Parecía que flotaran.

Los hombres se dirigieron hacia mí.

—No te muevas de ahí, hijo —dijo uno de ellos, sacando una libreta y un lápiz de un bolsillo del abrigo—. Bueno, ¿cómo te llamas y a qué te crees que estás jugando?

—Yo, esto, yo… Bueno, yo… —dije, totalmente incapaz de articular palabra y con las piernas temblorosas.

—Vamos, escupe. ¿Qué estás haciendo en estos contenedores? Esto es propiedad de la ciudad, ya lo sabes —continuó el hombre—. Echemos un vistazo al saco. Si has estado robando, te has metido en un problema muy serio.

—No lo he hecho, de verdad —dije—. Bueno, será mejor que me vaya; me esperan en casa.

¡La pistola inmovilizadora tenía la forma de un tiburón!

—¡Quieto! —gritó el guardia—. ¡O te inmovilizo de inmediato! —amenazó, sacando una pistola de aspecto espeluznante que tenía forma de tiburón.

—¿No has visto una como esta nunca? —dijo, con una sonrisa burlona—. Pues permíteme que te informe de que esta preciosidad lanza un rayo invisible que deja a una persona inmóvil como una piedra durante diez minutos.

—Y para entonces ya la hemos esposado y metido en la celda —se jactó el otro guardia—. ¿Fácil, verdad?

—Hola —dijo Snipe, sacando la cabeza por el contenedor.

—¡*Tú*! —gritó el guardia—. Debería de haberlo sabido. Vale, no te muevas de ahí.

—*Baja* de ahí —dijo el otro guardia al mismo tiempo.

—¿Qué queréis que haga: que baje o que me quede quieto? —preguntó Snipe con insolencia.

—¡*Baja*! —vociferaron los dos al mismo tiempo.

Snipe trepó al borde de la pared del contenedor. Llevaba una col grande y medio podrida en cada mano y, sin perder un segundo, se las lanzó a la cara.

¡Chaf, chof! Las coles se chafaron contra la cara de los guardias, que perdieron el equilibrio,

cayeron al suelo y los motores de sus
motocicletas se pararon.

—¡Corre! —gritó Snipe, y los dos salimos
pitando del patio.

Los dos guardias intentaron volver a poner
en marcha las motocicletas, pero los motores no
respondían, así que nos persiguieron a pie.
¡Oh, socorro!

Me giré un momento y lancé la bolsa de
canicas de mi mochila al suelo, en dirección
a los hombres.

—¡Eeeeh! —gritaron mientras resbalaban
encima de ellas.

Las piernas se les enredaban, pero
continuaron la persecución como pésimos
patinadores sobre un lago helado. Uno de los
guardias alargó una mano para cogerme pero,
¡pam!, su compañero cayó al suelo.

—¡Uuuf! —exclamó al darse el golpe.

Y ¡bang!, se le disparó la pistola y el rayo
invisible le dio a su compañero.

¡El guardia quedó inmóvil
como una piedra!

—Te ten… —estaba diciendo el policía justo antes de quedar inmovilizado por completo.

—Hasta luego —gritó Snipe mientras trepábamos por una cañería y corríamos a toda velocidad por los tejados.

No paramos de correr hasta que llegamos al campamento de Snipe.

Malas noticias

—Nos fue de muy poco, señora Mudge —dijo Snipe mientras le daba nuestro saco de comida de contrabando—. Pero Charlie ha sido un héroe. No me sorprende que fuera un pirata.

—Bien hecho, Charlie —dijo la señora Mudge, sonriendo.

—¿Y qué pasó? —preguntó Talia, mientras los demás hacían corro alrededor de Snipe para oír la historia.

¡Snipe la adornó y la decoró hasta tal extremo que incluso yo me sentí maravillado de lo valiente que había sido!

—Los guardias nos perseguían como unos amenazadores perros de caza, pero Charlie defendió el territorio con valentía —dijo Snipe—. Esperó y esperó hasta el último minuto para lanzar las canicas al suelo. Calculó el momento exacto para lanzarlas, porque cuando uno de los guardias resbaló y cayó, le dio al otro y lo inmovilizó al momento. ¡Fue espectacular!

¡Nuestro héroe!

—¡Oh, genial! —exclamaron los marginados—. ¡Bravo, Charlie!

La historia era tan buena que no me atrevía a decirles que había sido solo cuestión de suerte.

—Pero ahora te buscan —me dijo la señora Mudge—. Será mejor que te quedes en el campamento un tiempo.

Así que pasé el resto del día relajado, en la choza de Snipe, tumbado en la cama y leyendo periódicos de la Ciudad de la Fortuna. En ellos encontré el siguiente artículo que habla de los marginados:

Justo antes de irnos a dormir, mientras charlábamos alrededor del fuego, Finn regresó de su expedición con malas noticias.

—Eres famoso, Charlie —dijo, sonriendo—. ¡Hay carteles de «Se busca» por toda la ciudad!

—Bromeas —dije.

—¿Ah, sí?

Y sacó un trozo de papel doblado del bolsillo.

—Está un poco manoseado. Estaba en un poste de telégrafos, y tuve que arrancarlo

Una amenaza para el aumento de la producción

«**Felicidades** a todos nuestros ciudadanos. Ciudad de la Fortuna funciona como una máquina bien engrasada», han dicho hoy los padres de la ciudad. Pero también nos han advertido de que el número de marginados de nuestra ciudad crece cada día. «No podemos permitir que esto continúe», han afirmado.

Solo la semana pasada, una pandilla de marginados dirigidos por su delgaducho jefe, conocido como Snipe, atracaron la Fábrica Sopera de la ciudad. Hicieron un pequeño agujero en el tanque de sopa, introdujeron un tubo y sacaron una buena parte para su propio consumo.

«Se trata de un despreciable hurto de la propiedad de la ciudad —dijo un portavoz—. Los marginados son una sangría para los ciudadanos, y Snipe es el peor de todos. Los guardias de seguridad persiguen a este ratero desde hace mucho tiempo.»

Si alguien tiene alguna información sobre su paradero, por favor, que lo comunique al primer guardia que encuentre. Mantengan los ojos bien abiertos y los hombros arrimados, ciudadanos. ¡Recuerden! ¡Todos somos piezas de la maquinaria!

Snipe

deprisa sin que nadie me viera. Llevarse una propiedad de la ciudad es ilegal.

Lo desdoblé y vi una borrosa fotocopia de una foto mía bajo el titular: «¡SE BUSCA! El marginado de cara chata que se evadió de los guardias de la ciudad».

—Oh, otra vez no —me lamenté. Ya habían puesto mi foto en unos carteles una vez, cuando fui el pirata más buscado de todos los mares. Pero esto era diferente—. ¿De dónde demonios han sacado la foto? —pregunté.

—Ah, hay cámaras de vigilancia por toda la ciudad —dijo Snotty, limpiándose la nariz con un trozo de ropa sucia mientras sorbía con fuerza por esta—. Son capaces de hacer una foto, imprimirla en un cartel y colgarla por toda la ciudad en cuestión de media hora.

—¡Bienvenido al grupo de los marginados! —exclamó la señora Mudge.

SE BUSCA

El marginado de cara chata que esquivó a los guardias

Si ven a este extraño ratero, por favor, informen a los guardias.

Hacemos planes

—Si de vedad quieres regresar a casa, no me
quedaría por aquí mucho tiempo —me dijo
Snipe—. Si te pillan por habernos llevado todo
eso del contendor, quizá no vuelvas a ver la luz
del sol en un año.

—¿De qué estás hablando? —exclamé.
No me gustó en absoluto oír eso.

—Ese es el período de tiempo que se pasa
en El Agujero cuando te pillan —dijo Snipe—.
Todos hemos pasado por ahí.

—¿El Agujero? —pregunté,
tragando saliva.

—Sí, así llaman
a la prisión de la
ciudad. No te
gustaría pasar un
tiempo allí
—explicó Midge,
estremeciéndose—. Es un lugar oscuro
y horripilante, lleno de arañas.

¡Bienvenido al Agujero!

—Y la comida es terrible, *sniff* —añadió
Snotty.

—Me marcharé mañana a primera hora
—decidí. No tenía ninguna intención de acabar
en ese lugar tan terrorífico—. Pero he perdido
mi Jinete del Aire, con su aparato GPS. ¿Podéis
decirme en qué dirección debo ir?

—Echemos un vistazo a ese mapa otra vez —dijo Snipe.

Le di el mapa y él lo estudió durante unos minutos.

—Bueno, si somos capaces de hacerlo, tenemos la respuesta en las narices —dijo por fin—. ¡Puedes ir en tren!

¡Por supuesto! ¿Cómo no se me había ocurrido antes? Había unos raíles de tren señalados en el mapa que iban desde la Ciudad de la Fortuna hasta un lugar a pocos kilómetros del bosque al que yo debía llegar.

—¡Excelente! —dije—. ¿Y cuál es el problema?

—Bueno, en primer lugar, te buscan. Seguro que los guardias estarán vigilando, así que deberás ir disfrazado —explicó Snipe—. Y, en segundo lugar, los billetes de tren cuestan dinero, y nosotros no tenemos. Así que tendremos que salir a buscar fondos.

—¿Buscar fondos? —pregunté, sintiéndome muy incómodo.

—Tendremos que meter mano en un par de bolsillos —sonrió Snipe.

—¡Ni pensarlo! —exclamé.

—Habrá vigilantes en las puertas de la ciudad. Quizá incluso las hayan cerrado. El tren es tu única escapatoria —dijo Snipe—. ¡Esto es lo que se llama un dilema moral, Charlie!

Ahora estoy tumbado en la cama, a punto de dormir, y Snipe está arropado en el colchón del suelo, roncando por esa nariz larga que tiene. He puesto el diario al día y estoy preparado para partir mañana a primera hora. La señora Mudge se ocupará de mi disfraz, y Snipe me llevará hasta el tren. No me gusta la idea de meter la mano en un bolsillo, pero Snipe dice que no tenemos alternativa. ¿Qué haríais vosotros?

Seguiré escribiendo luego.

¡Me encuentro en un terrible apuro!

Hay que meter la mano en un bolsillo, o dos

—No te reconocería ni tu propia madre —rio Snipe.

Me miré en el trozo de espejo que me dio la señora Mudge y observé el disfraz. La señora Mudge había hecho un buen trabajo.

Había cogido uno de esos antiguos sombreros de fiesta que tienen forma cónica y lo había pintado del mismo color que el tono de mi piel. Le hizo unos agujeros, como si fueran los agujeros de la nariz, y pintó la punta con un color oscuro para imitar la nariz de un roedor, como la suya. Me pasé la goma elástica que lo sujetaba por la cabeza y me

Cejas peludas

Nariz postiza y dientes

Relleno

coloqué la nariz postiza en su sitio. Después, la señora Mudge me pegó unas cejas peludas encima de las mías, me puso grasa en el pelo y me lo peinó hacia atrás. Luego encontró un abrigo y lo rellenó con unos cojines para que pareciera que estaba gordo.

—Pareces un trabajador cualquiera de los que corren por la calle —rio Snipe.

—Bueno, es todo lo que puedo hacer —dijo la señora Mudge, dando un paso hacia atrás para observar su trabajo—. Será mejor que os pongáis en marcha, chicos. Buena suerte y *bon voyage*, Charlie, querido. Ha sido un placer conocerte.

—Adiós a todos —les dije a los marginados mientras me disponía a seguir a Snipe por una cañería para bajar a un tejado más bajo—. Gracias por todo. ¡Adiós!

Pronto llegamos al nivel del suelo. Unos viejos edificios de piedra se levantaban a nuestro alrededor, por todas partes, y detrás de ellos, unos altos edificios de oficinas se recortaban contra el cielo azul. Era una mañana hermosa. ¡Recé para que no acabáramos encerrados en El Agujero!

Snipe me llevó por un laberinto de calles estrechas llenas de gente. Era necesario tener un cuidado extraordinario, porque también buscaban a Snipe, pero él era un experto en camuflarse entre la gente mientras vigilaba por si aparecía algún guardia. La gente de la calle estaba tan concentrada en su trabajo que no nos miró ni una vez. ¡Parecía que mi disfraz funcionaba!

—Bueno, estate alerta. Es hora de ponerse a trabajar —me advirtió Snipe mientras entrábamos en un amplio patio rodeado de tiendas por tres de sus cuatro lados. El patio estaba lleno de gente que entraba y salía del amplio arco de piedra de un gran edificio blanco situado en el otro extremo: la estación de tren.

Me puse nervioso de inmediato, y empecé a sudar bajo los cojines que llevaba alrededor del pecho y la barriga.

—Es el lugar perfecto —dijo Snipe—. Quédate siempre detrás de mí, Charlie.

Y, diciendo esto, se metió en medio de la masa de gente. Nos abrimos paso con determinación y Snipe, echando un vistazo alrededor, metió la mano en el bolsillo de

un hombre que se encontraba delante de él.
Yo aguanté la respiración, rezando para que ese
hombre no notara nada. Luego Snipe sacó la
mano y negó con la cabeza.

—¡Vacío! —susurró.

Dejamos que la masa de gente nos empujara
un poco más y entonces Snipe lo volvió
a intentar.

Alargó la
mano y, con
dedos expertos,
levantó la
solapa de un
bolsillo y metió
la mano dentro.
Esta vez sacó
un fajo de
cochinos, así que
dimos la vuelta y nos
abrimos paso a empujones
para salir del grupo de gente. Llegamos hasta
una puerta y allí Snipe contó el botín.

—¡Vaya! —exclamó—. No nos llega.
Debemos intentarlo otra vez, amigo.

—¿Estás seguro? —pregunté, porque tenía
el corazón desbocado y me sentía muy mal por
coger cosas de otras personas.

—No tenemos alternativa, Charlie. Necesitas
el doble de esto —dijo mi amigo—.

Habitualmente, no me gusta dar el golpe más de dos veces en la misma zona, porque pueden surgir problemas. Pero lo intentaremos una vez más.

Volvimos a meternos entre la gente, abriéndonos paso a empujones hasta llegar al centro, donde todo el mundo andaba apretujado. Delante de nosotros había un individuo que llevaba un abrigo azul de grandes bolsillos, y Snipe me miró y asintió con la cabeza.

«Un momento, ese hombre es más alto que los demás», pensé, incómodo, mientras Snipe le metía la mano en el bolsillo. Snipe sonrió y me guiñó el ojo mientras sacaba una bolsita de piel llena de monedas. Pero justo cuando nos dábamos la vuelta para irnos, el hombre se giró. Cogió a Snipe por la muñeca con una mano vendada y las monedas cayeron al suelo, entre los pies de la gente.

—¡Un ratero! —exclamó el hombre en tono irónico—. Te voy a romper el cuello, pequeña hurraca ladrona.

«¡Oh, diablos!» ¡De toda la gente que había en la Ciudad de la Fortuna para robar, Snipe había metido la mano en el bolsillo de JOSEPH CRAIK!

El tren-bala

—He atrapado a un ladrón —vociferó Craik, sujetando con fuerza a Snipe por el brazo—. ¡He pillado a un sucio ratero!

La corriente de gente aminoró la marcha y miró a Snipe, mientras este se debatía para soltarse de Craik, pero nadie se detuvo.

—Lo siento, no me puedo parar o llegaré tarde al trabajo —dijo un hombre bajito que olisqueaba el aire con aire nervioso.

—Entrégalo a los guardias —dijo otro hombre que pasó por su lado a toda prisa—. Mira, ahí viene uno.

Y en ese momento, la masa de gente abrió paso a un guardia que se acercaba montado en su motocicleta de una sola rueda.

—Un momento —dijo Craik, mirando a Snipe con detenimiento—. ¿No nos conocemos?

—¡Corre, Charlie! —gritó Snipe—. ¡Escapa mientras puedas!

—¿Charlie? —exclamó Craik, mirando hacia mí—. ¡No es posible que ese sea Charlie Small!

Craik alargó un brazo para cogerme y yo lo esquivé, pero al hacerlo la nariz postiza se me salió de sitio.

—¡Eres tú! —bramó Craik, intentando agarrarme mientras la gente me empujaba de un lado a otro—. ¡Dame ese maldito mapa, chico!

«¡Ni lo sueñes!», pensé. No tenía ninguna intención de esperar a que me metieran en El Agujero mientras Craik desaparecía con mi mapa. Y tampoco pensaba abandonar a Snipe en la estacada. Así que me agaché un poco y le di una fuerte patada en la espinilla.

—¡Maldita sea! —bramó Craik, soltando a Snipe.

Y, entonces, Snipe le dio otra fuerte patada en la otra pierna.

¡Zas!

—¡Aaaayy! —chilló Craik, llevándose las manos a las piernas.

—¡Corre, Snipe, corre! Yo estoy bien —grité.

—No puedo dejarte aquí —repuso Snipe, mientras el ruido de la motocicleta del guardia se acercaba.

—No te preocupes por mí —le aseguré—. Vete antes de que te metan en El Agujero.

—¿En serio? —preguntó él.

—¡Vete! —insistí—. Conseguiré subir al tren de alguna manera.

Entonces, Snipe se acercó a mí y me susurró al oído:

—Sube al Tren-bala, Charlie. ¡Y buena suerte!

Mientras el guardia se abría paso en zigzag entre la masa de gente, Snipe se escurrió en dirección contraria y desapareció como por arte de magia. Yo retrocedí y me metí en el grupo de gente que se afanaba hacia delante. Nadie dijo nada, y nadie me agarró ni me llevó hasta el guardia; todos estaban tan concentrados en subir al tren a tiempo que ni siquiera me miraban, así que me dejé empujar hacia la estación.

La corriente me llevó hasta el arco de entrada de la estación. Dentro, a mi derecha, había una hilera de puertas que conducían a los andenes. A mi izquierda había las taquillas, pero no me servían de nada porque no tenía dinero. Debía intentar subir al tren sin billete.

Corrí por delante de las puertas y leí los carteles que había en la parte superior.

Cercanías. Norte de la ciudad

Cercanías. Sur de la ciudad

Rápido. Centro de la ciudad

Tren A-Tren-bala. Larga distancia

«Ahí está el Tren-bala —pensé—. ¡Ese es el mío! Bueno, ¿cómo demonios voy a subir?»

—Todo el mundo a bordo —gritó un hombre que se encontraba delante de la puerta de entrada—. El Tren-bala está a punto de salir. ¡Todo el mundo a bordo!

—Disculpe, señor —dije.

—Su billete, por favor —repuso él.

—No tengo billete, pero *necesito* subir a ese tren. ¿No le podría enviar el dinero después?

—¿Y viajar sin billete? —se escandalizó el hombre, que empezó a olisquear el aire con el rostro ruborizado—. Si yo permitiera que la gente hiciera eso, la Ciudad de la Fortuna se…

—¡Paralizaría! —dije yo, acabando la frase.

Entonces se oyó un fuerte pitido procedente del andén y el tren empezó a avanzar.

—De todas formas, ya es tarde —dijo el hombre. Y entonces, miró hacia algún punto por encima de mí y su expresión cambió. Con ojos desorbitados dijo—: Bueno, yo no…

Me di la vuelta y vi uno de los carteles de «¡Se busca!» con mi foto. Estaba colgado en un tablón de anuncios, a mi espalda.

Fue entonces cuando me di cuenta de que la nariz postiza me colgaba del cuello. La goma elástica se había deformado y ya no me la sujetaba en su sitio.

—¡Eres tú!
—chilló el
hombre—.
Eres uno de
los marginados.

¡Eres tú!

Sacó un silbato
del bolsillo superior
de la chaqueta y se
lo llevó a la boca.

«Bueno, ahora
o nunca», pensé,
y agarré la cuerda
del silbato y di un
fuerte tirón.

—¡Ffffff!
—hizo el hombre, soplando en el aire.

Aparté al hombre de un empujón y corrí por
el andén con todas mis fuerzas. El tren avanzaba
lentamente.

—¡Quieto! —gritó el hombre.

—¡Quieto! —oí que gritaba alguien más en el
momento en que llegaba a la puerta del último
vagón—. ¡Quieto!

Miré un momento hacia atrás y vi que el
cretino de Craik corría por el andén para darme
alcance. Justo detrás de él corría un guardia con
su motocicleta. *¡Oh, socorro!*

Aparté de un empujón un carro de equipaje
y, justo cuando el tren empezaba a coger

velocidad, salté al estrecho peldaño de la puerta y accioné la manecilla. La puerta se abrió hacia fuera y quedé colgando de ella, pero conseguí no caerme y saltar dentro. El tren aceleró de repente, la puerta se cerró por el impulso y me vi lanzado al interior del vagón.

Dejo los problemas atrás... ¡O no!

Me puse en pie, corrí hasta la puerta y miré por la ventanilla. El guardia había chocado contra el carro de equipajes y todavía daba vueltas tumbado en el suelo. Pero ¡Craik estaba al otro lado de la puerta del vagón, corriendo a toda velocidad, y alargaba la mano hacia la manecilla!

«¡No! ¡Lárgate, reptil!», pensé, alarmado. Entonces se oyó un *¡zuuumm!* y todo se hizo oscuro. El tren había entrado en un túnel.

Cuando volvimos a salir a la brillante luz del día, al

Craik alargaba la mano hacia la manecilla

otro extremo del túnel, el tren marchaba
a toda velocidad y no había ni rastro de Craik.
¡Buf!

Me metí en el lavabo y me miré en el espejo.
Mi nariz de cartón estaba doblada y arrugada;
una de mis cejas postizas se me había quedado
pegada en la mejilla y tenía el pelo
completamente revuelto. Me recompuse
el disfraz como pude: volví a atarme la goma
elástica de la nariz tras la cabeza y volví
a colocar la ceja en su sitio. Me pregunté
si debía atreverme a sentarme en uno de los
vagones como todo el mundo. Pero debía evitar
llamar la atención, así que decidí que sería más
seguro quedarme donde estaba. Me senté
y esperé.

El tren vibraba al pasar sobre los raíles
y ahora iba a toda velocidad. El paisaje pasaba
como un destello por el otro lado de la ventana.
Tardaríamos por lo menos cuatro horas en llegar
al Bosque Mutante, ¡y allí, de alguna manera,
debía conseguir saltar del Tren-bala! Estaba
destrozado de cansancio y cerré los ojos para
descansar un minuto. Pero debí de quedarme
dormido, porque lo siguiente que recuerdo es
que alguien llamaba a la puerta.

—¿Hay alguien ahí? —preguntó un hombre
con tono de enojo.

Me desperté de repente, muy confuso

y desorientado por el estruendo del tren y la fuerte luz de fuera.

—¿Puede darse prisa, por favor? —continuó el hombre—. Aquí fuera hay cola.

«Oh, vaya, todavía estoy en el lavabo del tren —pensé, mirando el reloj—. ¡Llevo una hora aquí dentro! ¡Vaya manera de no llamar la atención!» Abrí la puerta y salí al pasillo. Había una cola de seis personas, y todas me miraban con enfado.

—Ya era hora —dijo un hombrecillo con cara de ratón que tenía un enorme bigote y que llevaba el pelo muy estirado.

—Lo siento —dije—. No me encuentro muy bien.

—Sí, tiene un aspecto extraño —dijo otra persona de la cola—. Parece que alguien le haya dado un puñetazo en la nariz.

—No me sorprende —intervino una mujer oronda que tenía los dientes amarillos como la mantequilla—. Algunas personas no tienen consideración ninguna.

Me abrí paso entre ellos y me apresuré por el pasillo hacia unas puertas correderas que se

abrieron en silencio para dejarme pasar. Entré
en el compartimento de asientos y busqué uno
donde sentarme. El vagón iba lleno y me
pareció que todo el mundo me miraba con
suspicacia. Me levanté el cuello del abrigo
y empecé a avanzar con paso inseguro por el
corredor, entre los asientos.

Y entonces me llevé otra sorpresa pues,
encima de las ventanas, había una hilera de
carteles de «¡Se busca!» con mi foto. «Oh,
diablos —pensé—. ¡Espero que nadie se dé
cuenta de mi disfraz o tendré problemas!»

Pasé de un vagón a otro hasta que encontré
un asiento libre y me acomodé en él. Miré por la
ventana y me di cuenta de que habíamos dejado
la Ciudad de la Fortuna atrás, pues se veía la
silueta de los edificios a lo lejos. El tren parecía
volar sobre un largo viaducto, por encima de
un mar plateado que llenaba todo el paisaje.

Al cabo de una hora más o menos, el paisaje
acuático empezó a cambiar y entramos en una
zona de marismas que, gradualmente, se
convirtió en una extensión de colinas verdes
que se elevaban suavemente hacia el cielo. Casi
parecía un paisaje campestre de mi mundo, y ya
empezaba a creer que, quizá, nos estábamos
acercando a casa. Solté un profundo suspiro
y, por fin, me relajé.

Pero, de repente, *zuuum*, las puetas del otro extremo del vagón se abrieron y levanté la vista. Allí estaba mi peor enemigo, Joseph Craik. ¡No me lo podía creer! ¿Es que ese trozo de memo no me iba a dejar en paz?

¡Craik aparece constantemente, como la cara de una moneda trucada!

¡Billetes, por favor!

Craik observó a los ocupantes del vagón con su único ojo bueno. Todavía no me había visto, pero era cuestión de segundos que lo hiciera. Levanté más el cuello del abrigo, intentando que me cubriera la cara, y bajé los ojos.

Entonces las puertas del otro lado del vagón se abrieron y oí que un revisor gritaba:

—Billetes, por favor. Preparen sus billetes.

Levanté la mirada y vi que el revisor avanzaba despacio por el vagón hacia mí. ¿Qué iba a hacer ahora?

Pero yo no era el único que estaba preocupado. Craik se quedó boquiabierto al ver al revisor. Metió la mano en el bolsillo automáticamente buscando su dinero, pero Snipe se lo había vaciado. ¡Ajá! ¡Yo tenía un problema, pero Craik también!

—El billete, señor, por favor —dijo el revisor.

Levanté los ojos. ¡Me lo decía a mí!

—Oh, yo… esto… no he tenido tiempo de…

115

—tartamudeé, intentando ocultar mi nariz de cartón con las solapas del cuello del abrigo.

—¿Se encuentra bien, señor? —preguntó el revisor, suspicaz.

—Eztoy rezfriado —dije, bajo las solapas del cuello—. ¡No quiziera contagiadle miz viruz!

—Pues deme el billete, por favor —repuso el revisor en un tono cortante.

La gente me miraba y me di cuenta de que Craik me había reconocido. Su feo rostro se deformó en una horrible sonrisa.

—Si no me da el billete, señor, me veré obligado a pedirle que me acompañe —dijo el revisor, sacando un par de esposas del bolsillo y dejándolas colgar delante de mí—. La empresa del Tren-bala de Ciudad de la Fortuna no ve con buenos ojos a las personas que se cuelan en el tren, y ofrece una conveniente celda en el vagón de carga para ocasiones como esta.

—No lo compredde, zeñor —empecé a decir, pero el revisor no estaba dispuesto a escucharme.

—De acuerdo. Si esto es lo que quiere, deme las manos.

Y entonces tuve una inspiración repentina.

¡Esposas!

—Oh, ezpede un minuto, acabo de acodadme. Zí tengo billete —exclamé, ocultando todavía la cara mientras rebuscaba en la mochila, que había colocado debajo del asiento.

Encontré el extraño billete de tren que llevaba conmigo desde el principio de mis aventuras. No tenía ni idea de dónde había salido: yo siempre recogía cosas que me parecía que podían ser útiles algún día. Le di el arrugado billete al revisor y este lo miró con suspicacia.

—¿Qué es esto? —preguntó—. ¿Un billete a cualquier parte? Nunca he visto un billete como este.

—Ezte billete ez correcto, zeñor —dije, bajando los ojos para que no pudiera verme la cara—. No ha zido validado y ze puede uzar en cualquier fecha.

—Un billete a cualquier parte, en cualquier dirección, en cualquier fecha —murmuró el revisor, obviamente confuso—. Pero nunca he visto nada parecido.

Sacó un librito de un pequeño saco que llevaba colgando del cuello y empezó a hojearlo. Y entonces, para mi sorpresa, dijo:

—Tiene usted razón. ¡Aquí está! El billete a cualquier parte especial. Le pido disculpas, señor. Que tenga un buen viaje, y espero que se mejore de su resfriado.

Y cogió el billete y lo marcó.

Solté un suspiro de alivio y, mientras se alejaba, me puse en pie y me fui en dirección contraria, por si cambiaba de opinión. Craik me siguió.

—Un momento, señor —dijo el revisor—. ¿Puede enseñarme su billete antes de marcharse?

—Es a él a quien tiene que coger —dijo Craik señalándome, mientras yo me apresuraba a salir del vagón—. ¡Él es el marginado de esos carteles! ¡No me diga que se ha dejado engañar por su patético disfraz!

—Una cosa después de otra, si no le importa, señor. Su billete, por favor —insistió el aplicado revisor.

—No tengo billete. ¿Qué va a hacer al respecto? —replicó Craik con ironía.

—Entonces deberé pedirle que me acompañe —repuso el revisor, sacando las esposas otra vez—. Póngase esto, por favor.

—Te las pondré a ti en el cuello —bramó Craik—. Y ahora, aparta de mi camino, cara de rata.

Dio un empujón al inspector para continuar hacia delante, pero el hombrecillo era más fuerte de lo que parecía. Agarró a Craik por la cintura y los dos se enzarzaron en una pelea. ¡Al final, Craik tumbó al inspector, pasó por encima de él y se lanzó corriendo detrás de mí!

Un nocaut

Corrí a toda pastilla por el tren. Los pasajeros me miraban, sorprendidos. Me arranqué la nariz postiza y tiré el pesado abrigo y el relleno al suelo.

—¡Es el marginado que está en busca y captura! —gritó una mujer en uno de los vagones, señalando los carteles que había encima de sus cabezas.

«¡Oh, vaya!», pensé.

—¡Deténganlo! —gritó Craik, que ya había llegado al otro extremo del vagón.

Dos corpulentos hombres se levantaron al mismo tiempo para perseguirme, pero con las prisas chocaron en el corredor y entorpecieron a Craik.

—¡Quitaos de delante, malditos cabezas huecas! —bramó Craik, furioso, mientras agarraba a uno de ellos por el cuello del abrigo.

Llegué a la puerta que daba al siguiente vagón y lo crucé entero antes de que los viajeros tuvieran tiempo de darse cuenta de quién era.

Llegué al vagón de carga. Allí los paquetes y las cajas se amontonaban ordenadamente, dejando unos estrechos pasillos entre ellas. Ya se oían los gritos de Craik, que se acercaba desde el último vagón, y supe que debía hacer algo de inmediato o me atraparía y no tendría más remedio que darle el mapa.

Me escondí detrás de un montón de baúles de equipaje y estudié detenidamente la distribución del vagón. Detrás de las cajas y de los paquetes, en la esquina derecha del extremo opuesto, se encontraba la celda. Tenía la puerta un poco abierta, y me acerqué para estudiar el mecanismo de la cerradura. Era una cerradura que se accionaba automáticamente cuando cerraban la puerta, y se me ocurrió una idea.

Miré hacia arriba y sonreí. Del techo, colgando en forma de U y un poco por delante de la puerta de la celda, había una cadena. Era una alarma para ser usada solo en caso de emergencia. «Decididamente, esto es una emergencia», me dije. En ese momento, Craik entró en el vagón de carga.

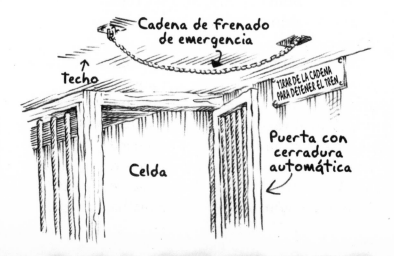

Cadena de frenado de emergencia

Techo

TIRAR DE LA CADENA PARA DETENER EL TREN

Puerta con cerradura automática

Celda

Oí su respiración pesada en cuanto se detuvo frente a la puerta. Yo todavía estaba escondido entre las cajas, pero necesitaba que él viniera hacia mí para que mi plan funcionara. Así que respiré profundamente y dije:

—No corras, viejo y arrugado inútil. ¡Te estás haciendo demasiado viejo para este juego!

—¡Grrr! —gruñó Craik, y empezó a avanzar entre los montones de cajas hasta que se encontró cara a cara conmigo en el estrecho pasillo.

Yo me hallaba de espaldas a la puerta de la celda, que ahora estaba completamente abierta.

—Te crees muy listo, ¿verdad, Charlie Small? —dijo.

—Mucho más listo que tú, eso seguro —repliqué.

—Bueno, pues yo soy muchísimo más fuerte y más poderoso que tú, insignificante mosquito —dijo Craik, a punto de explotar de rabia—. Y ahora te doy una última oportunidad: dame el mapa o te partiré en dos como si no fueras más que una rama seca.

—¡Ja! No eres capaz de partir ni un palillo, por no hablar del cuello de alguien —lo provoqué.

—¡Bueno, basta! —gritó.

La cara se le puso roja como un pimiento y estoy seguro de que le salía humo por la nariz.

Cargó contra mí como un toro enloquecido.

—Acabaré contigo de una vez por todas, maldito metomentodo —chilló Craik.

Di un salto, me cogí a la cadena del techo y levanté las piernas para ponerme

Craik casi explotaba de rabia

fuera de su alcance. La cadena activó los frenos de emergencia y, con un horrible chirrido metálico, el Tren-bala se detuvo en seco. Craik salió disparado hacia el interior de la celda, se dio un fuerte golpe en la cabeza contra la pared del fondo y cayó al suelo. Yo salté al suelo y, antes de que mi enemigo pudiera ponerse en pie, cerré la puerta de la celda.

—¡Canalla! —gritó Craik, alargando los brazos entre los barrotes en un intento de cogerme—. ¡Sácame de aquí!

—Sí, claro, eso es justo lo que voy a hacer —dije.

Entonces oí que algunos pasajeros se dirigían

hacia el vagón de carga y corrí hasta una puerta corredera que había en un lateral, la abrí y salté.

—¡No te librarás de mí! —vociferó Craik.

Subí corriendo por un terraplén, me metí de cabeza en unos arbustos y salí al otro lado. Al momento, corría por un campo abierto que ascendía a una colina. *¡Yuupiii!* ¡Había escapado!

¡Atrapado!

Resoplando y agotado, llegué a unos setos llenos de púas que se encontraban en la cima de la colina. De repente oí unos disparos y miré hacia abajo, hacia el tren detenido. Vaya, había olvidado que Craik tenía una pistola. Vi una pequeña figura saltar del vagón y supe que mis problemas no habían terminado en absoluto.

Salté al interior de una profunda zanja que había al pie de los setos y corrí a lo largo de ella, procurando mantenerme oculto. Un poco más adelante, vi una abertura entre las enredadas y punzantes ramas del seto, así que trepé por la zanja y me metí dentro.

El campo que se veía al otro lado estaba moteado de grupos de árboles, y descendía hasta un conjunto de almacenes viejos.

Al otro lado de ellos, en lo alto de una cumbre alta y lejana, se veía la mancha oscura de un bosque. ¡El corazón me dio un vuelco de alegría! «Ese debe de ser el Bosque Mutante —pensé—. ¡El portal que me llevará de regreso a casa está en algún lugar ahí dentro!»

Corrí colina abajo hacia los desvencijados edificios. A medio camino oí un fuerte crujido metálico y, *¡bang!*, una bala me pasó silbando muy cerca de la oreja.

—¡Te he visto, Charlie Small! —oí que gritaba Craik a lo lejos.

Miré hacia atrás y vi que ya había subido la cuesta. *¡Bang!* Otro disparo y, entonces, empezó a correr hacia mí. Sus piernas largas y delgadas parecían tragarse el espacio que nos separaba.

Aterrorizado, corrí a esconderme en uno de los almacenes. Entré y cerré las grandes puertas. Dentro, un grueso travesaño de madera clavado a un extremo del marco de la puerta se encontraba en posición vertical. Lo empujé con todas mis fuerzas y el travesaño bajó. El otro extremo encajó en una fuerte estructura metálica y las puertas quedaron completamente cerradas. Justo a tiempo.

¡Crash! Craik empujaba las puertas con todo el cuerpo, y ese almacén viejo parecía temblar a cada empujón. *¡Pam!* Otro golpe.

—Sé que estás ahí dentro, chico —gritó con la respiración entrecortada—. Estás atrapado y yo puedo esperar aquí fuera el tiempo que haga falta. Será mejor que te entregues.

En realidad, ese despreciable criminal tenía razón. Me di la vuelta por si veía algún lugar por donde salir del almacén, ¡y me llevé la sorpresa más grande de mi vida!

El elefante de vapor

Ahí, de pie en la penumbra y casi ocupando todo el espacio, había un enorme elefante de metal. Supe de inmediato que se trataba de otro de los maravillosos inventos de mi amigo Jakeman: un animal mecánico, *¡ahí!*

Corrí hasta él. Contemplé, complacido, su brillante piel metálica. Era de una excelente factura, y las planchas de metal encajaban con gran precisión. Las patas estaban recubiertas por unas escamas cromadas y una malla de acero de color oscuro. El cuerpo se dividía en secciones articuladas que permitían un movimiento libre.

Tenía largos colmillos, y de la frente le sobresalían unos terroríficos cuernos de acero que se curvaban hacia arriba. Era impresionante.

—Sigo esperando —canturreó Craik desde el otro lado de la puerta.

¡Crac! Había disparado contra la puerta y un montón de astillas volaron por el interior del almacén.

Me di la vuelta, buscando desesperadamente el esquema que llevaban todos los animales mecánicos de Jakeman. Al final lo encontré, metido entre dos de los dedos del elefante, y lo guardé en el diario para que todo el mundo lo pudiera ver. «¡Genial!», pensé, en cuanto le eché un vistazo. ¡Funcionaba exactamente igual que mi viejo amigo el rinoceronte de vapor!

Una vez puesto en marcha, el elefante se alimentaba comiendo paja, que se quemaba en el horno que tenía en el interior. El fuego calentaba un gran tanque de agua, que el animal mecánico volvía a llenar cuando lo necesitaba simplemente bebiendo. El agua caliente producía el vapor que accionaba la rueda y los pistones que impulsaban su maquinaria.

(Ved mi diario La ciudad de los gorilas)

El Elefante de Combate
impulsado por vapor de Jakeman

Cuernos de ataque

Montura

Placas de la armadura

Cráneo blindado

Colmillos de acero

Escamas de hierro

Válvula de salida de vapor

Trompa articulada

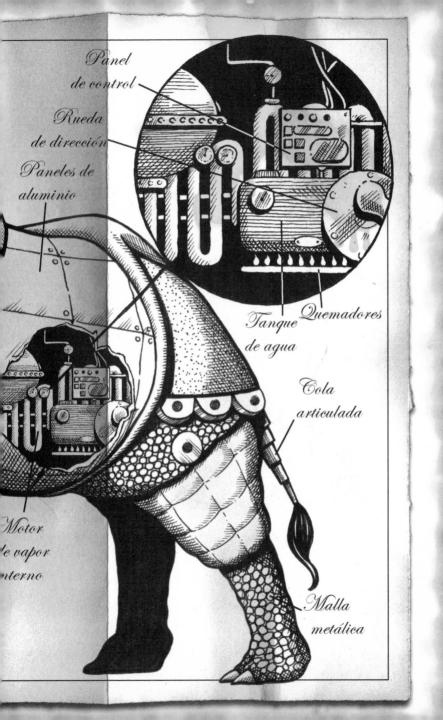

Panel
de control

Rueda
de dirección

Paneles de
aluminio

Tanque
de agua

Quemadores

Cola
articulada

Motor
de vapor
interno

Malla
metálica

¡Era una auténtica genialidad! Un potente ordenador instalado en la cabeza del elefante registraba el mundo exterior a través de los ojos electrónicos del animal y eso permitía que esa máquina pudiera reaccionar y defenderse por sí misma.

—Vamos, Charlie —bramó Craik, con un tono más enojado ya—. Empiezo a aburrirme.

—¡Piérdete! —grité, abriendo la portezuela situada en uno de los costados del elefante.

Alargué la mano entre un montón de tubos y pulsé el botón de puesta en marcha. Una pequeña luz piloto se encendió y, al cabo de un segundo, una hilera de quemadores cobró vida y empezó a calentar el tanque de agua.

—Quizá esto te haga cambiar de opinión —dijo Craik.

Al cabo de unos segundos, un humo espeso y picante empezó a colarse por debajo de la puerta y entre las grietas de la madera. ¡Ese cretino intentaba ahogarme!

—¡Vamos, date prisa! —le supliqué al elefante, mientras el almacén se llenaba de humo y empezaba a toser—. No voy a poder esperar mucho más.

Y entonces, con un zumbido, la majestuosa cabeza del animal se giró y me miró. Soltó un suave silbido y levantó una rodilla. Yo salté encima, me agarré a su enorme oreja y trepé hasta la montura que tenía tras la cabeza.

—¡Vamos, Jumbo! —grité.

Y el enorme animal mecánico dio un paso hacia delante sacando humo por la trompa. El elefante bajó la cabeza y embistió la puerta. El travesaño se partió en dos, las puertas se abrieron y salimos a la luz del día.

Craik nos miró con expresión incrédula, incapaz de moverse de donde estaba. *Jumbo* aplastó el fuego con una de sus enormes patas y luego se lanzó a la carga. Cogió al rufián con uno de sus colmillos y lo lanzó dando vueltas por el aire.

—¡Uuf! —exclamó Craik al caer al suelo.

—¡Adelante, *Jumbo*, a toda máquina! —ordené.

El elefante mecánico se lanzó a la carrera. El suelo temblaba con cada uno de sus pasos. Mientras nos dirigíamos a las colinas, en dirección al Bosque Mutante, oía a Craik que gritaba, a lo lejos:

—Cuando te atrape, te pegaré un tiro como a un perro.

¡Bang, bang, bang! Tres balas fueron a clavarse en los flancos metálicos de Jumbo. El elefante empezó a perder vapor por los agujeros, pero el valiente animal continuó la marcha.

El Bosque Mutante

Cruzamos los campos que nos separaban del bosque, cuya silueta se alargaba en el horizonte. Dejamos a Craik muy lejos, pero yo sabía que nos seguiría. ¡Seguro que a esas alturas no abandonaría la persecución!

Cuanto más avanzábamos, más débil estaba *Jumbo*. El vapor se le escapaba por los agujeros que le habían hecho las balas; las juntas de metal empezaban a chirriarle y supe que algo iba muy mal. Pero el elefante continuaba avanzando valerosamente, y embestía cualquier seto o arbusto que nos cerrara el paso.

Hacia el final de la tarde iniciamos el ascenso de la última colina, antes de llegar al gran bosque. Había estado viajando durante todo el día, pero la emoción de estar tan cerca de mi objetivo me hizo olvidar el cansancio y el miedo.

Al llegar arriba, me saqué la mochila de la espalda y cogí la brújula y el mapa. El denso bosque se alargaba kilómetros y kilómetros en ambas direcciones, y necesitaba averiguar dónde me encontraba exactamente.

A lo lejos, a mi derecha, se distinguía la difusa línea de las vías del tren. Detrás de mí se veían los destellos plateados del distante muro que rodeaba la Ciudad de la Fortuna. A mi izquierda, el bosque se alejaba más de un kilómetro en línea recta y luego daba un giro hacia la izquierda. Consulté el mapa.

«Vale —pensé—. Debo de estar justo aquí». Hice una señal en el mapa con el lápiz. Me encontraba un poco demasiado hacia el oeste, pero no me había alejado demasiado de mi camino. Consulté la brújula para ver hacia dónde tenía que ir y le di un golpecito a *Jumbo* en la cabeza. Resonó como una campana.

—Adelante, *Jumbo*, adelante —dije.

El enorme animal se puso en marcha, chirriando como un viejo juguete de latón y soltando unos fuertes suspiros de vapor por debajo de las planchas metálicas. Llegamos al inicio del Bosque Mutante. Los árboles crecían muy espesos y la maleza era casi impenetrable.

—¡Adelante! —repetí.

El corazón se me aceleró a causa del nerviosismo. Ya casi estaba en casa, pero sabía que Craik no podía andar muy lejos. El elefante embistió la vegetación, aplastando arbustos y doblando árboles a su paso. Aparte del ruido que hacíamos, el bosque estaba en silencio. Una suave luz se filtraba entre las copas de los árboles y confería un aspecto fantástico al lugar.

Río Calmo

Cuanto más avanzábamos, más densa se hacía la vegetación. Al final nos vimos obligados a detenernos ante una línea de enormes árboles que nos cerraban el paso.

—Esto no va bien, *Jumbo* —dije—. Debo seguir solo. Tú no podrás abrirte paso por aquí.

Jumbo meneó la cabeza, impaciente, y barritó como si dijera: «¡Ni pensarlo, vas a ver!». Apoyó la cabeza blindada contra el tronco de uno de los árboles y, con toda la fuerza que le quedaba, empezó a empujar. Los pistones de *Jumbo* chirriaban, y el árbol crujía, protestando. El elefante empujó una y otra vez. Y entonces, cuando el árbol empezaba a caer, se oyó un terrible *¡boom!* Unos hilos de agua se colaron entre las planchas del cuerpo de Jumbo y, *¡fuuuum!,* una nube de vapor le salió por una herida que tenía en uno de los costados. Con un suspiro, el elefante dejó caer la cabeza y se quedó inmóvil.

—¡Adelante, *Jumbo*! —exclamé, clavándole los talones en los costados—. Vamos, amigo, no abandones ahora.

Pero la descomunal máquina de vapor se había roto, y *Jumbo* había quedado irreparable.

Bajé al suelo y le di unas palmadas. El animal hizo girar sus ojos de cristal en las cuencas para mirarme.

—Gracias por todo, *Jumbo* —dije, mientras cesaba el ruido del vapor.

¡Fuuuum! Un remache salió disparado de un lateral de Jumbo

Un ligero brillo se encendió en sus ojos, pero pronto se apagó. Me quedé allí, en silencio,

durante un minuto. Me sentía triste y solo.
Luego me di cuenta de que se oía el ruido
del agua, y el corazón me dio un vuelco.
«¡Debe de ser el río! —pensé—. ¡El río
Calmo, y allí encontraré el portal a mi mundo!»
¡El valiente *Jumbo* me había llevado muy,
muy cerca!

Le di un abrazo y, emocionado y nervioso,
salté por encima del árbol caído y me abrí paso
por la densa vegetación. Las púas me rasgaban
la ropa y me arañaban la cara y las manos, pero
estaba tan excitado que no me importaba.
Continué avanzando hasta que, de repente,
salí a la orilla de un ancho río.

Al otro lado del río, el Bosque Mutante
continuaba igual de denso. El agua oscura
y marrón del río corría sobre el lecho
rocoso del fondo con un ruido alegre.
Unas pequeñas islas verdes emergían
en medio del agua. Consulté el mapa
y empecé a andar a buen paso por la ribera,
buscando el portal a mi mundo. Solo había un
problema: ¡no tenía ni idea de qué aspecto tenía
un portal!

Continué avanzando, buscando cualquier
cosa que pudiera ser una puerta entre dos
mundos paralelos. ¿Sería simplemente una
desgarradura en el aire, una grieta casi invisible
por la que yo debía pasar? ¿O sería una puerta

de verdad, una puerta en una caseta para guardar barcas que, digamos, me llevaría al oscuro pasadizo que comunicaba con el patio de mi casa? No tenía ni idea, pero no encontraba nada que me lo pareciera. Solo veía el interminable bosque a ambos lados y el río, en medio.

Entonces, mientras recorría uno de los meandros del río, vi un viejo puente de ladrillo que cruzaba el cauce unos metros más adelante. «¡Tiene que ser eso!», pensé. Jakeman había dicho algo sobre un puente que enlazaba dos mundos. ¡Quizá se trataba de un puente de verdad! Valía la pena intentarlo.

¡El puente!

Me apresuré, pero tuve que detenerme
de repente al oír el crujido de unas ramas.
Más adelante, la vegetación empezó a agitarse
con violencia y entonces el temible Craik
apareció de un salto entre los árboles.
Se sujetaba un costado del cuerpo, pero,
a pesar de ello, se mostraba más maligno
que nunca.

—¡Reza tu última oración, pulga fastidiosa!
—dijo.

Pero debía de haber recibido un golpe
de *Jumbo*, porque le costaba levantar
la pistola.

El desenlace definitivo

Me di la vuelta y giré el meandro corriendo
hasta ponerme fuera de la vista de Craik. Esa
era mi última oportunidad de regresar a casa.
Debía pensar algo *de inmediato*. Levanté la vista
hacia la copa de los árboles y se me ocurrió una
idea… ¿tendría tiempo?

Dejé caer la mochila al suelo y cogí el lazo.
Lo hice rodar por encima de mi cabeza y lo
lancé. El lazo voló por los aires y pasó por
encima de la recia rama de uno de los
árboles. Fui dando cuerda y el lazo llegó a tocar
el suelo.

Los pasos de Craik se oían cada vez más cerca, así que me di prisa: puse unas piedras pesadas en el interior de la mochila y la sujeté con el lazo.

Craik se detuvo justo en el meandro y, en cuestión de segundos, tiré de la cuerda e icé la mochila hasta la copa del árbol. Luego pisé el otro extremo de la cuerda para sujetar la mochila suspendida en el aire y esperé a que mi enemigo se acercara.

Por suerte, las hojas del árbol bajaban casi hasta mí y solo se veía un pequeño trozo de cuerda por detrás de mi cabeza. Más arriba, la cuerda quedaba oculta por las ramas y las hojas hasta el otro extremo, en que el lazo sujetaba la mochila con las piedras.

—Bueno, ¿ya has recuperado el sentido común, Charlie? —dijo ese rufián al ver que yo levantaba las dos manos.

Mochila con piedras

la cuerda pasa por la rama y la sujeto con el pie

Yo

Craik

—Ya he tenido bastante —dije—.
Sé reconocer cuando me han vencido.

Craik me miró con desconfianza y soltó,
irónico:

—Esto no es propio de ti, Charlie Small
—dijo, mirando a su alrededor como si esperara
que algo o alguien apareciera de repente entre
los árboles—. ¿Qué estás tramando?

—Nada —respondí—. Solo que me he
cansado de huir. He pensado que podemos
compartir el mapa y buscar juntos el portal
a mi mundo.

—¿Qué? ¿Después de todo este tiempo estás
dispuesto a compartir tu secreto conmigo,
cuando sabes lo que tengo planeado hacer?
—preguntó Craik, más suspicaz incluso—.
No nací ayer, Charlie Small. ¿Qué está pasando
aquí?

—Mira —dije, sacando el mapa del bolsillo
trasero y agitándolo en el aire—. ¿Lo quieres
o no?

Incapaz de contenerse, el villano dio un paso
hacia delante haciendo una mueca a causa del
dolor que sentía en las costillas. Ahora se había
colocado justo debajo de la mochila. Alargó la
mano para que le diera el mapa, pero dudó un
momento y miró hacia atrás, esperando ser
víctima de una estratagema.

—No me fío de ti ni un pelo, Charlie Small

—gruñó—. Así que mantendré mi promesa y voy a terminar con esto ahora mismo.

Amartilló la pistola y me apuntó con ella.

—¡Un momento! —dije tragando saliva.

—¿Y ahora qué pasa, Charlie? —exclamó.

Craik movía el dedo del gatillo con un gesto nervioso.

—Solo quiero decir una última cosa —dije.

—¡Suéltalo y acabemos de una vez! —gritó.

—¡Que duermas bien! —exclamé, y levanté el pie de la cuerda.

—¿Que duerma bien? —repitió el bobo.

La cuerda salió disparada hacia arriba y Craik la siguió con los ojos.

—¿Qué diab…?

Pero no tuvo tiempo de decir nada más. La pesada mochila le cayó directamente sobre la cabeza y lo tumbó al suelo.

Primero me aseguré de que estaba inconsciente y, luego, recuperé mi mochila. Mientras deshacía el lazo, Craik soltó un

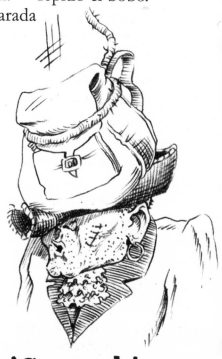

¡Crunch!

gruñido y me cogió por las piernas. Me caí al suelo y empecé a dar patadas ciegamente hasta que conseguí darle en un hombro.

—¡Mocoso! —gimió él esforzándose por coger la pistola.

Pero yo fui más rápido y se la quité a tiempo. La lancé hacia el follaje del bosque.

—¡Maldito seas, Charlie Small! —soltó Craik.

Volví a darle una patada y conseguí soltarme. Me puse en pie y corrí, mientras mi enemigo intentaba seguirme. Se puso en pie, dio unos pasos vacilantes y, como si estuviera borracho, volvió a caer al suelo y se quedó inmóvil. Por fin Craik había quedado fuera de combate.

¡Pío, pío, pío!

El puente

Corrí con todas mis fuerzas mientras sacaba las pesadas piedras de la mochila. Doblé el meandro del río a toda velocidad y me dirigí hacia el puente. Mientras subía hasta él, miré hacia atrás para asegurarme de que Craik no se hubiera recuperado y me estuviera siguiendo. Luego observé atentamente a mi alrededor buscando una especie de rasgadura en el aire, pero todo parecía absolutamente normal.

«No me digas que no es más que un puente normal y corriente», me dije. Subí por la pendiente a toda velocidad y llegué a la parte superior. Y continué corriendo. *¡No sucedió nada!*

Pero mientras bajaba hacia la otra orilla, se oyó un fuerte estruendo, como de olas. Los árboles de la orilla se hicieron borrosos y, entonces, una nube gris lo llenó todo a mi alrededor.

—¡Uau! —grité.

De repente, dejé de sentir el suelo bajo los pies y me pareció que estaba dando vueltas en el aire. En medio de esa nube aparecían las imágenes de todas las personas que había conocido durante mis aventuras, como en una película muda. Ahí estaban Jakeman y Philly; el rey de las marionetas y *Braemar*; el Halcón, Porrazo, Nemesis y Bob Ffrance. Todos mis amigos y mis enemigos aparecieron flotando ante mis ojos: la abuelita Green y Jenny, la capitana Corta-gargantas, Bobo y Tristram Twitch; Belcher y Tom Baldwin y Mamuk. Los llamé, pero mi voz se perdía en el estruendo de las olas. Al final, las imágenes parpadearon y desaparecieron.

Me empecé a sentir mareado, y el estómago me daba vueltas y más vueltas mientras el estruendo de las olas se hacía más fuerte. Me pareció que mi cuerpo se estiraba, y se estiraba,

hasta que me quedé tan delgado que podía
ver a través de él, y tuve la certeza de que
estaba a punto de desintegrarme en un millón
de átomos. ¡Uuuuuaaaaaauuuuu!

¡CRACK! Un rayo iluminó el cielo y la nube
empezó a dispersarse. El suelo pasaba por
debajo de mis pies a miles de kilómetros
por hora. Cerré los ojos y esperé a sufrir
una colisión que acabara conmigo.
Y entonces:

—¡Uf! —exclamé.

Había aterrizado en el suelo como
si lo único que hubiera sucedido es que me
hubiera caído jugando al fútbol. Pero me sentía
como si acabara de salir de una licuadora,
y tardé unos minutos en recuperar el aliento
y en aclarar mis ideas. Miré a mi alrededor,
asombrado.

Unas hierbas altas habían amortiguado mi
caída. Detrás de mí había un río, pero parecía
más estrecho y no había ni rastro del Bosque
Mutante ni del puente de piedra. Solo se
veían unos árboles escuálidos, y un tronco
cruzaba el río por donde yo acababa de
atravesarlo. Me puse en pie, tembloroso,
y miré a mi alrededor.

Y entonces, de repente, supe dónde
estaba.

—¡Yuupiii! —grité con todas mis fuerzas.

Había aterrizado en la parte trasera del patio de mi casa, en el mismo lugar en que habían empezado mis aventuras cuatrocientos años antes. ¡POR FIN había regresado a casa!

¡Por fin en casa!

¡Yuupiii!

Corrí a lo largo de la orilla del riachuelo. Salté por encima de pequeños arroyos y por encima de zanjas hasta que llegué a la verja del patio de casa. Crucé la puerta corriendo, y estuve a punto de arrancarla de cuajo de un empujón. Corrí por el camino que llevaba hasta la puerta trasera y que daba a la cocina. Mamá estaba preparando la merienda. ¡Había llegado justo a tiempo!

Cuando entré, mamá levantó la cabeza y miró hacia mí.

—Oh, bien, ya estás aquí, Charlie —dijo, como si no hubiera sucedido nada.

Sentí un profundo alivio. Corrí hasta ella y le di un fuerte abrazo. Todo seguía tal como lo recordaba, cuatrocientos años antes.

—¡Me alegro tanto de verte otra vez, mamá! —exclamé, sonriendo como un bobo.

—Sí, debe de hacer tres horas ya —respondió, sonriendo y acariciándome el pelo—. ¿Has traído la leche?

¡Oh, vaya, me había olvidado de la leche!

—Lo siento, yo… esto… ¡creo que he perdido el dinero! —dije, palpándome los bolsillos.

«¿Has traído la leche?», preguntó mamá.

Era una flagrante mentira, porque sabía dónde estaba exactamente el dinero: ¡en el mostrador de la tienda de bocadillos de la Ciudad de la Fortuna!

—¡Oh, Charlie! No lo comprendo, solo te he pedido algo muy sencillo —se lamentó mamá, soltando un profundo suspiro.

—¿Así que has decidido regresar a casa, eh? —dijo papá, sonriendo, mientras entraba en la cocina—. Estábamos a punto de mandar un equipo de rescate a buscarte.

—¡Papá! —exclamé, y corrí a darle un abrazo.

Él miró a mamá con una expresión de extrañeza.

—¿Va todo bien, Charlie? —preguntó.

—¡Ahora sí! —exclamé.

—¡Oh, Charlie, mira cómo llevas la ropa! —exclamó mamá al ver mis zapatillas manchadas de barro y mi pantalón roto—. ¿Qué has estado haciendo?

—Bueno, todo empezó hace cuatrocientos años —expliqué, incapaz de contener mi emoción ni un minuto más. Quería que lo supieran todo—: Estaba navegando con mi barca por el riachuelo cuando fui transportado a otro mundo y fui atacado por un enorme cocodrilo. Luego me hicieron rey de los gorilas, en una jungla oscura y densa. Y en cuanto conseguí escapar, una pandilla de mujeres pirata me capturó.

—Charlie —interrumpió mamá, sonriendo—. Estás diciendo un montón de tonterías. Ve a lavarte las manos antes de merendar.

Me quité las zapatillas hechas polvo, las tiré detrás de la puerta trasera y me dirigí hacia la puerta. Antes de salir, me giré y miré a mamá y a papá, que estaban ocupados preparando la mesa. Se oía la música de la radio y un aroma delicioso llenaba la cocina.

—Es genial estar en casa —dije, y subí las escaleras corriendo para prepararme para la maravillosa merienda de mamá.

Hora de dormir

¡Bueno, lo he conseguido! Estoy en casa, mis aventuras se han acabado y estoy terminando de escribir en mi diario. Tengo la barriga llena —mamá ha dicho que he comido como un ejército—, y me encuentro en mi propia cama, rodeado de mis cosas: mis libros y mis pósteres, mi ordenador y mis juegos, mi colección de huesos de animal y de huevos de pájaro rotos.

Ahora que estoy en casa me resulta difícil creer que mis aventuras hayan ocurrido de verdad. Sé que han ocurrido, porque mi mochila está llena de las extrañas y maravillosas cosas que he recogido durante mis viajes. Hay mapas de lugares exóticos, esquemas de maravillosos animales mecánicos, planos de castillos y de pasadizos secretos.

¡Incluso hay un cráneo de un murciélago bárbaro, un diente de megatiburón y un dedo de esqueleto!

Tengo el ojo de cristal de un rinoceronte mecánico, una cuerda gastada, un trozo roto de la cáscara que me cubría cuando me convirtieron en marioneta y muchas, muchas cosas más. Cuando miro estos objetos, todas esas aventuras vuelven a mi memoria.

Me pregunto qué estarán haciendo todos mis amigos ahora mismo. ¿Estarán Philly y Jakeman trabajando en un invento nuevo? ¿Estará el Halcón galopando por el páramo? ¿Será *Braemar* jefe de su propia manada de lobos blancos? Me pregunto si los volveré a ver alguna vez. Oh, bueno, fue genial mientras duró. Terrorífico, a veces, y también peligroso, pero muy divertido, y no me lo hubiera perdido por nada del mundo. He regresado de explorar la parte trasera del patio de casa y ahora volveré a la escuela. No puedo quejarme: he tenido unas vacaciones de cuatrocientos años, y será fantástico volver a ver a mis compañeros.

Aquí está Charlie Small, el aventurero, firmando por última vez. ¡Buenas noches!

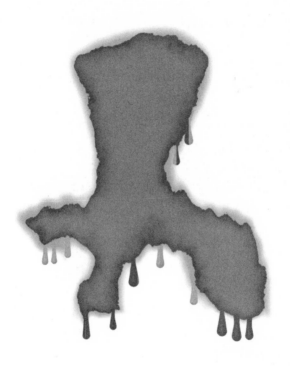

PÁGINA SIGUIENTE

Dos años más tarde: recibo una llamada

¿Quién lo hubiera dicho? Acabo de encontrar este viejo cuaderno bajo un montón de juguetes rotos, debajo de mi cama. Hacía dos años que no lo veía y me había olvidado de él por completo. Y lo he encontrado únicamente porque mamá está tan harta del desorden de mi habitación que me ha obligado a hacer limpieza de mis cosas.

Hace años que no pienso en mis aventuras, y al volver a hojear mi diario se me ha hecho difícil creer que todo eso sucedió de verdad. Parece tan fantástico, tan poco plausible, y es tan antiguo. Quiero decir… ¿elefantes mecánicos, hombres con cara de rata y piratas cazarrecompensas? Está claro que deben de haber sido imaginaciones mías. Sí, ya sé que en esos momentos lo creía, pero entonces solo *tenía* ocho años.

Bueno, será mejor que me dé prisa. Cuanto antes termine de ordenar, antes podré ir al parque con mis amigos Niggle y Titch. Vamos a jugar un partido de fútbol, y por la tarde mi primo pequeño, Alfie, vendrá a casa. Quizá a él le guste tener mi mochila de aventurero. Le gusta mucho jugar a ser explorador, ¡y seguro que le encantarán mi viejo diario, los mapas, los huesos, las brújulas y los colmillos!

Pero ¿de verdad quiero desprenderme de él? El simple hecho de tenerlo entre las manos me hace sentir raro. Noto un cosquilleo de emoción en los brazos, como una corriente eléctrica, como si de alguna manera el diario estuviera vivo. Quizá debería conservarlo, por los viejos tiempos.

¡Eh, un momento! Algo está sonando dentro de la mochila, parece un grillo loco. Reconozco ese sonido: es mi móvil de explorador. ¡Después de tanto tiempo, se pone a sonar! Pero nadie me llama a este número ya. Mis amigos *siempre* me llaman al móvil que me regalaron cuando cumplí diez años. ¿Quién demonios puede ser?

—¡Hola! ¿Quién es? —pregunté.

No sé por qué, pero el corazón me latía con fuerza de la emoción y casi no podía respirar.

—Charlie, ¿eres tú? —dijo una niña con una voz débil y lejana, que resultaba difícil oír a causa de las interferencias—. Charlie, soy Philly.

—¿Philly?

Un momento, ¿dónde he oído este nombre? ¡Oh, rayos y centellas, ya lo sé! Es mi vieja amiga Philly Jakeman, la nieta del loco inventor del mundo paralelo. Vaya, ¡uau! Eso significa que lo que cuentan mis diarios es verdad. Todas esas aventuras sucedieron realmente. Yo fui un rey gorila y un pirata del mar. Vencí a un demonio de humo que vigilaba la tumba de una momia. *¡Yuupiii!* Casi no me lo puedo creer.

—Sí, soy Philly. Oh, Charlie, tenemos… problemas. No tenía… a quién… llamar.

—No te oigo, Philly, no te oigo.

—Por favor… ven… sálvanos. Recuerdas dónde… está… portal, ¿verdad? Date prisa, Charlie… nos está atacando un…

—¡Philly! —exclamé.

¡Maldición! La línea se ha cortado.

—Philly, responde.

No sirve de nada. El teléfono se ha quedado sin batería.

¡Bueno, está claro: no tengo alternativa! Debo regresar y ayudar a mis amigos. *Por supuesto* que todavía sé dónde está el portal. Después de mi regreso, iba muchas veces a mirar el tronco caído del río y me preguntaba si todavía funcionaría. Bueno, ahora lo averiguaré. ¡Por suerte, todavía tengo mi equipo de explorador!

No sé qué aventuras me esperan, ni cuánto tiempo estaré fuera, pero mis amigos necesitan ayuda y *debo* responder a su llamada. Solo hay un problema. ¿Qué le voy a decir a mamá?

Ya lo sé. ¡Le diré que llegaré a tiempo para merendar!

Fin

Horizontales

1. Mi amigo mecánico.

4. Lo utilicé para izar mi mochila hasta la copa del árbol.

8. El nombre de mi patinete volador.

9. El nombre del río del Bosque Mutante.

10. Una araña...

11. Es mi amigo, ¡y un ratero!

Verticales

2. Donde guardo mi equipo de explorador.

3. La señora... cuida de los marginados.

5. Mi archienemigo.

6. Se desplazan en motos de una sola rueda.

7. Lo conocí en las montañas.

Dibuja tu propia cara de yeti aquí.

¡Hazla tan terrorífica como puedas!

He encontrado esta nota
secreta en mi mochila.
Es un mensaje cifrado,
lo cual significa que cada
letra debe reemplazarse
por otra, siguiendo el
orden alfabético. ¿Puedes
descifrar qué dice?

(pista: ¡la A se ha convertido
en una Z y etcétera!)

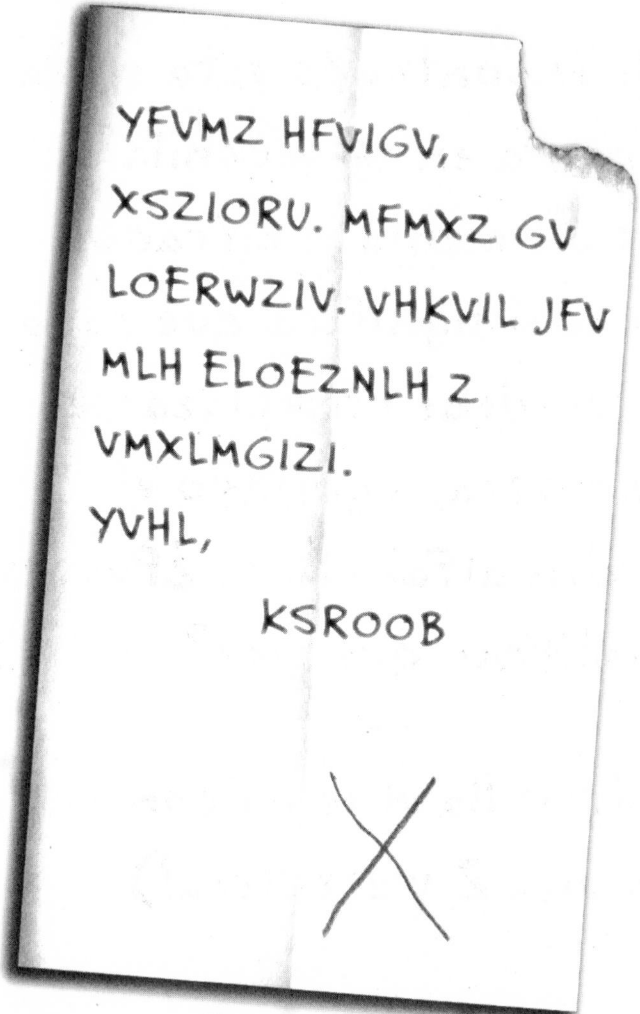

YFVMZ HFVIGV,

XSZIORU. MFMXZ GV

LOERWZIV. VHKVIL JFV

MLH ELOEZNLH Z

VMXLMGIZI.

YVHL,

KSROOB

X

UN ANIMAL MECÁNICO MARAVILLOSO

INVENTADO POR:

Dibuja aquí tu propia maravilla mecánica

PATENTE N.° 363612

Aquí hay algunos monstruos que también encontré en mis viajes, pero que no tuve tiempo de describir.

El triloluchador tiene una nariz de sierra con la que corta las presas duras, como el calamar de cuero.

El cíclope de Cornucopia. No es muy listo, pero es muy fuerte, así que ¡TEN CUIDADO!

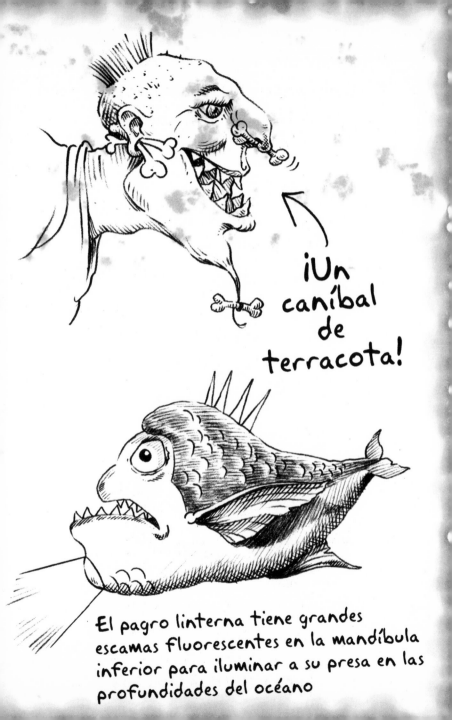

¡Un caníbal de terracota!

El pagro linterna tiene grandes escamas fluorescentes en la mandíbula inferior para iluminar a su presa en las profundidades del océano

Estad atentos
a mi primo pequeño

Alfie
Small

¡Está a punto de tener sus propias aventuras!

He encontrado el portal
al mundo paralelo...

¡Voy a cruzarlo!

Allá voy...

Allá voy...

¡Lo he cruzado!